Donna-Marie Pye

Les meilleures recettes à la
mijoteuse

Délices et trucs pour
la mijoteuse électrique

Traduit par Élisa-Line Montigny

Guy Saint-Jean
ÉDITEUR

Catalogage avant publication de Bibliothèque et Archives Canada
   Pye, Donna-Marie
   Les meilleures recettes à la mijoteuse
   Traduction de : Canada's best slow cooker recipes.
   Comprend un index.
   ISBN 2-89455-152-5
   1. Cuisson lente à l'électricité. 2. Mets en casserole. I. Titre.
   TX827.P93314 2005   641.5'884   C2005-941794-3

Nous reconnaissons l'aide financière du gouvernement du Canada par l'entremise du Programme d'Aide au Développement de l'Industrie de l'Édition (PADIÉ) ainsi que celle de la SODEC pour nos activités d'édition.

Gouvernement du Québec — Programme de crédit d'impôt pour l'édition de livres — Gestion SODEC

© Pour le texte de l'édition en langue anglaise ayant servi à cette traduction : Donna-Marie Pye, 2000
Publié originalement au Canada en 2000 sous le titre *Canada's Best Slow Cooker Recipes* par Robert Rose inc., 120 Eglinton Avenue East, Suite 800, Toronto (Ontario) Canada M4P 1E2.

© Pour les photographies : Robert Rose Inc. 2000
© Pour l'édition en langue française : Guy Saint-Jean Éditeur inc. 2005
Traduction : Élisa-Line Montigny
Révision : Jeanne Lacroix
Photographie : Mark T. Shapiro
Conception graphique : Christiane Séguin

Dépôt légal 4e trimestre 2005
Bibliothèques nationales du Québec et du Canada
ISBN 2-89455-152-5

DISTRIBUTION ET DIFFUSION
Amérique : Prologue
France : CDE / Sodis
Belgique : Diffusion Vander S.A.
Suisse : Transat S.A.

GUY SAINT-JEAN ÉDITEUR INC., 3154, boul. Industriel, Laval (Québec) Canada. H7L 4P7.
(450) 663-1777. Courriel : saint-jean.editeur@qc.aira.com   Web : www.saint-jeanediteur.com

GUY SAINT-JEAN ÉDITEUR FRANCE, 48 rue des Ponts, 78290 Croissy-sur-Seine, France.
01.39.76.99.43. Courriel : gsj.editeur@free.fr

Imprimé au Canada

Photo page couverture : Chili végétarien doux et sucré, p. 98

Sommaire

À ma mère, Evelyn Pye, qui m'a appris à aimer la bonne nourriture,
et à ma famille, Lawrence, Darcy et Jack, qui est la raison pour laquelle
je continue *de faire la cuisine et d'aimer la bonne nourriture.*

Remerciements

Lorsque l'idée de rédiger un livre de recettes m'a été suggérée, la tâche ne me semblait pas insurmontable. Or, elle a bien failli l'être. Après des heures passées à essayer et goûter des plats et à réviser les recettes, j'ai réussi à accomplir le travail. Or, n'eut été l'appui des membres de ma famille, d'amis et de collègues, je n'y serais pas arrivée. Je leur dois à tous d'innombrables mercis.

À ma voisine, assistante, goûteuse chevronnée et, avant tout, précieuse amie, Joanne Burton, qui a passé des heures incalculables à dactylographier et à réviser le manuscrit parce qu'elle y avait vu là un projet agréable à entreprendre, compte tenu qu'elle disposait de temps, son plus jeune fréquentant maintenant l'école à plein temps.

À mon éditeur, Bob Dees, pour son engagement et son appui, ainsi qu'à toute l'équipe chez Robert Rose qui a amélioré mes recettes et a créé un très beau livre.

Du fond du cœur, je remercie mon groupe de courtepointe du mardi matin dont les membres — Kathy Shortt, Karen Scian, Susan McDowell et Martha D'Agostino — ont goûté avec amour chaque plat que j'apportais et ont laissé tomber une journée entière de courtepointe pour m'aider à réviser cet ouvrage.

À ma mère et mon père, Evelyn et Roger Pye, pour leur appui indéfectible, pour les nombreuses heures qu'ils ont consacrées à sillonner les allées des supermarchés du sud des États-Unis pour vérifier le format, les étiquettes et le nom de produits au lieu de jouer au golf. À ma belle-mère et mon beau-père, Mary et Chris Greaves, pour leurs paroles encourageantes et leurs conseils en rédaction.

À mes sœurs, Sandy et Glenda, qui ont assujetti volontiers leur famille aux plats que je mettais à l'essai et m'ont fait de précieuses suggestions.

À ma collègue, Wendy Heibert, pour son attention aux petits détails et ses paroles encourageantes.

À mes nombreux voisins et amis qui m'ont accueillie dans leur cuisine avec mes recettes, qui m'ont prêté leur mijoteuse et ont partagé leurs recettes et leur savoir-faire (ou leur « non-savoir-faire ») culinaire en matière de cuisson lente. Jenna Jutzi et Meghan Pierce qui, en s'occupant de mes enfants Darcy et Jack à leur retour de l'école, m'ont permis de disposer d'une heure supplémentaire, indispensable pour écrire ou faire les essais, lorsque j'en avais le plus besoin.

Aux très nombreuses organisations et entreprises qui m'ont donné des produits, m'ont transmis de l'information et m'ont autorisée à adapter leurs recettes, dont le magazine *Canadian Living*, la compagnie *Delft Blue Veal*, l'*Ontario Turkey Producers' Marketing Board*, l'*Ontario Pork* et le *Beef Information Center*.

Pour finir, j'aimerais remercier mon mari Lawrence pour l'amour et l'appui qu'il me témoigne, mais surtout pour sa patience.

Introduction

Pendant plusieurs années, je devais mettre quotidiennement 90 minutes pour me rendre à mon travail et autant pour en revenir. Je quittais la maison tôt le matin et quand je rentrais, je me trouvais face au problème quotidien de ne pas savoir quoi servir à manger. Ma famille, à l'époque, ne comptait que mon mari et moi; on se débrouillait tant bien que mal. Or, à la naissance des enfants, j'ai décidé de faire appel aux services d'une assistante cuisinière: ma mijoteuse électrique.

Au moins une fois par semaine, je rassemblais tous les ingrédients de ma soupe, de mon ragoût ou de mon pot-au-feu préférés dans la cocotte que je laissais au réfrigérateur toute la nuit. Le lendemain matin, j'insérais la cocotte dans la coque et le plat cuisait à feu doux toute la journée pendant que j'étais au travail. Ma famille appréciait vraiment pouvoir savourer un repas tout chaud à son arrivée à la maison plutôt que d'attendre jusqu'à 20 h. De plus, il y avait toujours suffisamment de restes pour un autre repas plus tard dans la semaine.

Mes années à faire la navette quotidiennement font dorénavant partie du passé. Aujourd'hui, je suis conseillère en économie domestique à mon compte, épouse et mère occupée à élever une fille de 7 ans et un garçon de 4 ans. Je jongle avec mes engagements, des activités de bénévolat et les cours de karaté, de natation, de danse et de musique des enfants — le temps me manque donc à la fin de la journée pour préparer de bons repas chauds. Utiliser ma mijoteuse tombe encore sous le sens pour pouvoir déguster des repas prêts à servir à notre retour à la maison.

En rédigeant cet ouvrage, je visais à ce qu'il soit accessible aux familles et fasse appel à des ingrédients faciles à se procurer, et qu'il soit composé de recettes qui plairaient aux familles occupées comme la mienne.

Certaines recettes nécessitent un temps de cuisson prolongé, tandis que d'autres en nécessitent moins. Dans tous les cas, les membres de ma famille et les amis ont été étonnés de la variété de recettes qui peuvent être préparées à l'aide d'une mijoteuse. Ce livre comprend autant de recettes d'amuse-gueule chauds comme la Tartinade chaude de crabe, artichauts et jalapeño, que de plats traditionnels comme le Rôti braisé maison, les Côtes levées campagnardes à l'ail et au miel, la Chaudrée de palourdes de la Nouvelle-Angleterre et le Coq au vin. Le Pain de viande est tellement juteux et moelleux que je suis convaincue que je ne le préparerai jamais autrement. La mijoteuse permet aussi de cuisiner une étonnante variété de desserts comme le Pouding vapeur aux canneberges (airelles), sauce au Grand Marnier et le Pouding brownie au fudge renversé ainsi que de délicieuses tourtes aux fruits ou la délectable Croustade aux pommes traditionnelle.

Faites l'essai des recettes de ce livre et vous découvrirez tout le potentiel culinaire de votre mijoteuse!

Tout sur la cuisson à la mijoteuse

Les premières mijoteuses, conçues principalement pour la cuisson des
«fèves au lard», ont fait leur apparition il y a 25 ans sous le nom de
Crock-Pot®, Stoneware Slow Cooker de la compagnie Rival. Depuis, des
millions de gens partout en Amérique du Nord ont découvert l'étonnante
polyvalence de cet appareil. Aujourd'hui, la mijoteuse est toujours l'un
des petits électroménagers les plus populaires.

Pourquoi la cuisson à la mijoteuse?

La mijoteuse convient parfaitement aux besoins des familles pressées par
le temps. Parmi ses avantages, notons qu'elle est:

Commode. Étant donné que l'appareil assure une cuisson à feu très doux,
les aliments ne peuvent coller et, par conséquent, ils nécessitent peu
d'attention. Une fois que vous avez rassemblé tous les ingrédients dans
votre cocotte et que vous la mettez en fonction, vous pouvez l'oublier et
vous consacrer à autre chose. À la fin de la journée, les membres de votre
famille et vous-même pouvez savourer un repas chaud, nutritif et cuisiné
maison avec un minimum d'effort. La plupart des plats peuvent être
préparés le soir précédent, réfrigérés dans le plat de grès (cocotte) et mis
à cuire le lendemain. La mijoteuse est particulièrement utile pour vos
réceptions ou lorsque vous cuisinez pour un grand nombre de convives:
elle vous permet de passer moins de temps à la cuisine et plus de temps
avec vos invités. De plus, étant donné que la cocotte de la mijoteuse peut
servir de plat de service, vous avez un plat de moins à laver.

Économique. En fait, la mijoteuse permet de faire cuire les aliments à température basse et constante, ce qui rehausse la saveur et la texture de certains aliments. La cuisson lente attendrit les coupes de viande moins coûteuses telles que la poitrine de bœuf, le porc ou le bœuf à ragoût, le soc et les côtes de porc. La cuisson prolongée permet aux saveurs de se marier, ce qui donne des soupes, des ragoûts, des chilis et des pot-au-feu plus savoureux.

Les haricots secs, les pois et les lentilles sont une alternative économique à leurs équivalents en conserve et peuvent être cuits très facilement dans une mijoteuse. Une fois qu'ils sont cuits, il suffit de les ajouter aux soupes et aux chilis pour créer des plats uniques.

Pratique. Parce que la cuisson dans une mijoteuse se fait principalement par humidité, il y a très peu de risques que les aliments collent (dans le cas de certaines recettes telles que les desserts, les poudings et les flans, je suggère de beurrer la cocotte pour en faciliter le nettoyage). L'appareil requiert très peu d'électricité. Il convient aussi merveilleusement bien pendant les mois d'été où l'utilisation du four rendrait la température de la cuisine très inconfortable. La mijoteuse permet aussi de libérer le four lorsque vous cuisinez pour un grand nombre de personnes. Elle est idéale pour la cuisson de plats d'accompagnement des fêtes et, comme je l'ai fait remarquer précédemment, vous pouvez également l'utiliser comme plat de service.

Les différents types de mijoteuse

Les appareils de cuisson lente modernes se divisent en deux catégories:

Le *Multi-cooker*. Ce modèle est doté d'un thermostat réglable; il peut donc servir à plusieurs modes de cuisson dont la cuisson lente, la grande friture et la cuisson à la vapeur. Dans la plupart des *multi-cookers*, le serpentin de chauffage est situé dans la coque qui reçoit la cocotte afin que la chaleur provienne de la partie inférieure. Certains modèles de ce type de mijoteuse sont dotés d'un plat de grès qui permet de distribuer la chaleur plus uniformément. Or, les aliments préparés dans un *multi-cooker* devraient tout de même être surveillés attentivement et remués à deux ou trois reprises pendant la cuisson afin d'éviter qu'ils n'adhèrent. L'avantage de ce type d'appareil réside dans le fait que la cuisson peut être aisément accélérée en réglant la température à un degré plus élevé.

La mijoteuse. C'est essentiellement une version moderne du *Crock-Pot®* *Stoneware Slow Cooker* de la compagnie Rival. Ce type de mijoteuse est habituellement composé d'une cuve métallique munie de serpentins de chauffage ceinturant un pot de grès ou de céramique lourd. Le récipient n'est pas toujours amovible quoique les modèles où il l'est sont plus faciles d'entretien. (Certains fabricants ont créé des mijoteuses avec une cocotte à revêtement antiadhésif qui en facilite l'entretien.) Le grès est un excellent isolant et maintient la température de cuisson égale et basse. Lorsque les aliments commencent à chauffer, un vide se crée entre le grès et le couvercle. Les liquides dans la cocotte sont emprisonnés, ce qui élimine presque entièrement le risque que les aliments collent ou brûlent. Par conséquent, les aliments peuvent être laissés sans surveillance pendant plusieurs heures.

Quelle taille de mijoteuse vous faut-il?

Les mijoteuses sont vendues en format rond ou ovale et de différentes capacités allant de 2 1/2 à 6 litres. (Les *multi-cookers* sont habituellement de forme ovale et peuvent servir à la préparation quotidienne de repas et au rôtissage.) Les formats de 2 1/2 et 3 1/2 litres sont habituellement profonds et étroits; ceux de 4 et 5 litres sont plus larges et plus ronds. Tous conviennent parfaitement bien à la cuisson de soupes, de ragoûts, de pot-au-feu, de plats en casserole et de repas de tous les jours. Le modèle de 6 litres est idéal pour les grandes quantités, pour la cuisson à la vapeur de poudings ou pour les recettes qui nécessitent une grosse pièce de viande comme le boeuf de conserve (corned-beef) ou la poitrine de bœuf. Si votre mijoteuse est de ce format, pour un rôti qui est plus gros que celui que la recette exige, vous devrez augmenter le temps de cuisson (à basse température) de 1 1/2 heure pour chaque 500 g (1 lb) supplémentaire afin que la viande soit tendre.

Les mijoteuses sont également offertes en format de 1 litre. Bien que ce format soit trop petit pour la préparation quotidienne de repas, il convient bien aux trempettes chaudes et aux amuse-gueule, et il est idéal quand on reçoit. La plupart des recettes du présent livre ont été éprouvées dans des mijoteuses de 3 1/2 et 4 litres. À moins que la capacité de la mijoteuse ne soit spécifiée, la plupart des recettes peuvent être préparées dans une mijoteuse de n'importe quelle taille, sauf celle d'un litre. Pour les amateurs de desserts, les mijoteuses de 4 et 5 litres sont idéales parce qu'elles peuvent accueillir des bols ou des moules à pouding de 6 tasses.

Dans quels cas la mijoteuse ne convient-elle pas?

Bien qu'elle soit idéale pour une multitude d'aliments, la mijoteuse ne convient pas à tous les plats. Comme dans le cas de tout appareil, pour obtenir les meilleurs résultats possibles, il suffit de l'utiliser pour ce qu'elle fait de mieux. Voici une liste des aliments qui se prêtent mal à la cuisson lente:

- Les grosses pièces de viande tendre telles que les gigots d'agneau ou les rôtis de bœuf de première qualité. Il est préférable de faire rôtir ces pièces dans un four conventionnel.
- Les pâtes deviennent très collantes lorsqu'elles sont ajoutées sèches à la mijoteuse. Il est préférable de les faire cuire à demi, de les égoutter et ensuite de les ajouter à votre recette.

- Le poisson se prête mal à la cuisson en mijoteuse. Compte tenu de la délicatesse de la chair de poisson, vous n'auriez que des flocons de poisson en fin de cuisson. Vous pouvez tout de même préparer des plats de poisson en autant que le poisson soit ajouté dans les 20 dernières minutes de cuisson. Il y a quelques exceptions, telles que la Casserole au thon préférée des enfants (voir recette, page 203), le Pâté au saumon facile avec sauce crémeuse à l'aneth (voir recette, page 201) ainsi que le Jambalaya tout simple (voir recette, page 157).

En dépit du fait que la mijoteuse cuise les aliments à feu doux, le risque de surcuisson demeure. Il importe de respecter les durées de cuisson recommandées dans les recettes.

L'entretien et le nettoyage de la mijoteuse

Avant d'utiliser ou de nettoyer la mijoteuse, il faut laisser le couvercle et la cocotte refroidir. Pour éviter les changements brusques de température, il ne faut pas submerger la cocotte ou le couvercle chauds dans de l'eau froide ou les poser sur une surface froide et mouillée. Le bol de céramique peut être lavé à l'eau chaude savonneuse ou dans le lave-vaisselle. Dans le cas du lave-vaisselle, je suggère de laisser tremper le bol un court moment dans de l'eau chaude au préalable, surtout s'il y a des aliments très collés. Les cocottes au revêtement antiadhésif éliminent presque entièrement le problème.

Les produits nettoyants abrasifs ou les brosses à récurer sont à proscrire étant donné qu'ils peuvent égratigner la céramique. La cuve n'a besoin que d'un coup de chiffon humide avec du vinaigre ou un produit nettoyant domestique. Pour minimiser les risques de choc électrique, il faut éviter de submerger la coque dans de l'eau et toujours débrancher l'appareil d'abord.

Il ne faut jamais se servir d'un bol de céramique ou d'un couvercle ébréchés ou égratignés. Il est facile de se procurer un couvercle de remplacement chez la plupart des fabricants. Plusieurs mijoteuses sont vendues avec un couvercle en plastique, ce qui élimine le problème d'ébréchure.

Utiliser sa mijoteuse

Comme son nom l'indique, la « mijoteuse » fait mijoter les aliments à basse et constante température. Le réglage Low (basse température) cuit les aliments à 90 °C (200 °F), soit sous le point d'ébullition, tandis que le réglage High (haute température) cuit les aliments à environ 150 °C (300 °F).

Comment choisir la bonne température de cuisson.

Règle générale, 1 heure de cuisson à haute température équivaut à 2 à 2 1/2 heures à basse température. Il est préférable de faire cuire les pot-au-feu et les ragoûts, par exemple, à basse température pour éviter qu'ils ne bouillent. Faire cuire ces plats à température plus élevée pourrait durcir légèrement la viande. La plupart des recettes du présent livre suggèrent des temps de cuisson à la fois pour les réglages haute température et basse température. Lorsqu'un seul réglage de la température est suggéré, je vous recommande de vous y tenir. Ceci est particulièrement important pour les amuse-gueule et les desserts où il y a risque de surcuisson ou de sous-cuisson.

En fait, étant donné que tout plat peut être surcuit dans la mijoteuse, il est toujours préférable de respecter la durée de cuisson recommandée. Si vous démarrez la cuisson à haute température et que l'heure du repas prévue est repoussée, réglez la mijoteuse à basse température. Les aliments seront ainsi conservés à la bonne température de service sans risquer d'être surcuits.

Si la mijoteuse doit être laissée sans surveillance une journée entière, je recommande le réglage basse température au lieu de haute température. À cette température-là, la mijoteuse cuit les aliments tellement doucement que quelques heures de plus ne causent pas de problème. Veillez à ne pas laisser reposer les aliments cuits plus de 2 heures. Rappelez-vous aussi que les durées de cuisson sont des *suggestions* — chaque mijoteuse est différente et des variations de courant électrique peuvent survenir. Une fois que vous aurez l'habitude de cuisiner avec une mijoteuse, vous saurez à quoi vous attendre. En cours d'essai des recettes de ce livre, je me suis servie de six mijoteuses dont le temps de cuisson variait beaucoup. Après un certain temps, j'ai été en mesure de savoir à quoi m'attendre de chacune; il en sera de même pour vous.

Rappelez-vous qu'il y a plusieurs facteurs qui peuvent influencer la vitesse de cuisson d'un plat. Les viandes doivent être maigres et bien parées. Une quantité trop importante de gras dans le liquide de cuisson haussera la température et entraînera une surcuisson de la viande. La faire dorer au préalable aidera à en réduire la teneur en gras.

La taille des aliments aura aussi une incidence sur le temps de cuisson. De petits morceaux d'aliments cuiront plus rapidement qu'un gros rôti ou une volaille entière.

La préparation d'une recette le soir précédent. Plusieurs des recettes du livre peuvent être préparées à l'avance afin que leur cuisson puisse être démarrée au moment de votre départ le matin et qu'elles soient prêtes à déguster à votre retour du travail. Celles-ci ont le symbole ☽, qui indique que les ingrédients de la recette peuvent être rassemblés dans la cocotte et réfrigérés pendant la nuit. S'il y a des exceptions, comme des ingrédients qui doivent être ajoutés plus tard, elles sont indiquées dans la recette. Le lendemain, il suffit de placer la cocotte dans la coque et de laisser cuire tel qu'il est indiqué. Les aliments n'ont pas à être amenés à la température de la pièce avant d'être mis à cuire.

Toute recette à base de viande, qu'il s'agisse de cubes ou de viande hachée, peut être préparée à l'avance, mais il faut d'abord faire dorer la viande. Ne préparez pas un plat de volaille 12 à 24 heures à l'avance si la volaille doit reposer sur un lit de légumes crus pendant tout ce temps. Pour vous faciliter la tâche, vous pouvez vous procurer une minuterie (comme celles qui servent à régler l'éclairage de la maison), si vous prévoyez vous absenter toute la journée. Mettez les aliments *réfrigérés* dans la mijoteuse et réglez la minuterie pour qu'elle démarre la cuisson 2 heures plus tard (1 heure dans le cas de volaille). Vous auriez peut-être avantage à faire l'essai de cette méthode un jour que vous êtes à la maison. Si vous le faites pendant votre absence et que l'essai échoue, rentrer à la maison et vous apercevoir que le repas n'est pas prêt serait pour le moins décevant.

D'autres facteurs pouvant influencer le temps de cuisson. À une altitude plus élevée que 1 100 m (3 500 pi) au-dessus du niveau de la mer, la durée de cuisson peut être plus longue. L'humidité extrême peut également influencer la durée de cuisson. Les variations de courant, qui sont fréquentes partout, n'ont pas d'effet notable sur la plupart des appareils, mais peuvent légèrement modifier la durée de cuisson à la mijoteuse. Ayez cette information à l'esprit lorsque vous constatez que vos aliments ont nécessité un temps de cuisson plus long que celui qui est suggéré. Vous apprendrez avec le temps à évaluer la durée de cuisson adéquate.

Quelques techniques pour la réussite de vos plats cuits à la mijoteuse

Afin de tirer le maximum de votre mijoteuse, il y a quelques facteurs dont vous devriez tenir compte avant de commencer.

Faire dorer et griller. Veillez à faire dorer les morceaux de viande tels que le bœuf à ragoût et les rôtis ou à faire griller les côtes levées de porc ou de bœuf avant de les mettre dans la mijoteuse. En plus d'aider à éliminer l'excès de gras, ceci ajoutera de la saveur à la recette. Lorsque la viande cuit dans la mijoteuse, une grande quantité de liquide est créée et il y a une accumulation de vapeur. Étant donné que cette vapeur ne peut s'échapper, elle s'accumule sur la paroi interne du couvercle, s'égoutte dans le liquide de cuisson, diluant celui-ci par le fait même, ce qui affadie le goût. Faire dorer et griller les viandes au préalable permet de rehausser la saveur de tout le plat.

Saupoudrer de farine. Étant donné que les liquides sont dilués pendant la cuisson lente, ils doivent être réduits ou épaissis pour en intensifier la saveur. Dans le cas des soupes et des ragoûts qui doivent être épaissis, je préfère saupoudrer les viandes de farine avant de les faire dorer. Il est donc inutile d'ajouter un agent épaississant à la fin de la cuisson. Aussi, vous minimisez les risques que votre sauce forme des grumeaux. Cependant, si, au moment où vous rassemblez les ingrédients de la recette à réfrigérer pendant la nuit, vous n'avez pas le temps de saupoudrer la viande de farine et de la faire dorer, une pâte faite de farine peut être ajoutée pendant les 25 à 30 dernières minutes de cuisson pour épaissir. Mélangez 50 ml (1/4 de tasse) de farine et 50 ml (1/4 de tasse) d'eau, en mélangeant bien pour éliminer les grumeaux; ajoutez directement à la mijoteuse en brassant pour bien mélanger. Remettez le couvercle et augmentez le réglage de la mijoteuse à haute température. Les soupes, les ragoûts et les sauces épaissiront très bien à l'aide de cette méthode. Dans le cas de certaines recettes, le jus de cuisson ou la sauce sont obtenus en réduisant en purée jus de cuisson et légumes.

La cuisson de volailles. La volaille peut facilement trop cuire dans la mijoteuse. Pour obtenir d'excellents résultats, voici quelques conseils pratiques à suivre:

Pour rehausser la saveur, la texture et l'apparence d'un plat, il est préférable de laisser la peau pendant la cuisson lente et ensuite la retirer avant de servir. La partie du poulet et de la dinde qui se prête le mieux à la cuisson lente sont les cuisses. Vous pouvez également utiliser des poitrines, mais vous devrez les surveiller de plus près pour éviter de les faire trop cuire — environ 4 1/2 à 5 heures au réglage basse température suffira. Si vous utilisez un poulet entier coupé en morceaux, rappelez-vous que la viande brune nécessite un temps de cuisson plus long que la viande blanche. Il est donc préférable de placer la viande brune au fond de la mijoteuse et la viande blanche dessus. Le liquide de cuisson qui chauffera cuira la viande brune d'abord et la viande blanche ensuite.

Il peut s'avérer difficile de faire cuire un poulet entier si vous avez une mijoteuse ronde de 2 1/2 à 3 1/2 litres. Le poulet devra être placé sur son côté (à l'exception du Poulet rôti très arrosé qui est troussé avant d'être placé dans la mijoteuse afin qu'il ne tombe pas en morceaux lorsqu'on l'en retire). Il est plus simple de couper le poulet en 10 morceaux: 2 pilons, 2 cuisses, 2 ailes, 2 poitrines et le dos coupé en 2 morceaux. Les cuisses de dinde et les pilons sont d'excellents choix pour les recettes de volaille du présent livre; ils seront juteux et tendres.

Le rôti braisé. Outre un délicieux ragoût, il n'y a rien de plus satisfaisant qu'un succulent rôti, braisé dans un liquide savoureux. La mijoteuse est idéale pour ce genre de recette que je prépare fréquemment pour nos repas du dimanche soir, comme ma grand-mère le faisait.

Pour obtenir les meilleurs résultats possibles, faites cuire le rôti à basse température. Le faire cuire à haute température ferait bouillir la viande et la durcirait. Rappelez-vous que plus la viande est persillée (traces de gras), plus la quantité de liquide devra être minime. Je préfère les rôtis de côtes croisées ou de palette pour les recettes telles que le Rôti braisé maison ou le Rôti braisé à la méditerranéenne parce qu'ils sont tendres et faciles à trancher. Il est préférable de faire saisir d'abord tous les côtés du rôti dans un faitout ou dans un poêlon. Le Bœuf au cognac est un plat nécessitant un rôti de pointe de surlonge, qui peut être facilement émincé pour faire des Roulés au bœuf et au fromage. Un rôti de soc de porc désossé est un excellent choix pour le Porc barbecue sur petit pain ou le Rôti de porc avec sauce piquante aux canneberges (airelles) étant donné que cette partie du porc est moins tendre et convient parfaitement à la cuisson lente. Si vous choisissez un rôti de longe de porc, réduisez le temps de cuisson à environ 5 à 6 heures étant donné que ce morceau de viande peut facilement trop cuire.

Si vous ajoutez des légumes au rôti, je vous suggère d'ajouter aussi une petite quantité de liquide pour les amollir adéquatement. Les légumes-racines nécessitent souvent une cuisson plus longue que la viande; il est préférable de couper les légumes plus robustes comme les carottes, les pommes de terre et les navets en petits morceaux. Placez-les au fond de la cocotte, ajoutez-y la viande et le liquide, et veillez à ce que les légumes demeurent couverts de liquide pour en assurer une cuisson uniforme.

Méthodes de cuisson faibles en gras. La mijoteuse est une méthode de cuisson faible en gras tout à fait naturelle compte tenu de la quantité de gras minimale à ajouter, s'il y a lieu. Les viandes doivent être débarrassées du gras visible avant la cuisson. (Vous diminuez ainsi la quantité de gras que vous consommez et il n'y a pas de gras supplémentaire pouvant cuire les aliments plus rapidement, ce qui n'est pas souhaitable.) Vous devriez aussi griller les côtes de bœuf et de porc ainsi que les ailes de poulet avant de les mettre dans la mijoteuse. Il est recommandé de faire cuire un rôti bien persillé sur un lit d'oignons au fond de la cocotte. Ainsi, la viande ne baignera pas ni ne cuira dans le gras. Si vous avez une grille que vous pouvez placer à l'intérieur de la cocotte de votre mijoteuse, déposez-y le rôti.

Lorsque vous faites dorer de la viande ou de la volaille que vous mettrez dans la mijoteuse, servez-vous d'un poêlon à revêtement antiadhésif vaporisé d'huile végétale en aérosol. Comme vous le feriez normalement, enlevez l'excès de gras qui se présente à la surface du liquide de cuisson avant de servir. Faites cuire le poulet avec la peau pour l'aider à garder ses jus. Par la suite, pour réduire la teneur en gras du plat, retirez la peau avant de servir.

Résistez à la tentation de soulever le couvercle! Puisque la mijoteuse fait cuire les aliments lentement à une température basse et constante, il est très important que le couvercle reste bien en place pendant la cuisson. Retirer le couvercle en cours de cuisson entraînerait une perte de chaleur (que la mijoteuse ne peut récupérer rapidement), ce qui aurait pour effet de prolonger le temps de cuisson. Ne soulevez le couvercle que lorsque le temps est venu de vérifier si le plat est cuit ou lorsque la recette recommande de remuer. Si vous soulevez tout de même le couvercle, il vous faudra ajouter environ 20 minutes de plus au temps de cuisson à chaque fois. Dans le cas des recettes du présent livre qui recommandent de remuer, le temps de cuisson additionnel a déjà été prévu.

Si, à la fin du temps de cuisson recommandé, une recette a généré trop de liquide, retirez le couvercle, réglez la mijoteuse à haute température et laissez le liquide réduire pendant 30 à 45 minutes. Vous pouvez aussi retirer les aliments solides de la cocotte à l'aide d'une cuiller à égoutter et les garder au chaud dans le four. Versez le liquide de cuisson dans une casserole et laissez réduire sur la cuisinière à feu élevé jusqu'à ce que la sauce soit de la consistance souhaitée.

Quelle quantité d'aliments devriez-vous faire cuire à la fois?

Pour obtenir le maximum d'efficacité de votre mijoteuse, il importe que la cocotte soit pleine aux deux tiers ou aux trois quarts. Les plus grosses pièces de viande devraient être entièrement recouvertes de liquide afin d'assurer une cuisson uniforme. Si le morceau n'est pas entièrement submergé, tournez-le à deux ou trois reprises pendant la cuisson afin d'éviter que les parties non recouvertes de liquide ne se dessèchent. Rappelez-vous que pendant leur cuisson, les aliments relâchent leurs jus qui, à leur tour, s'accumulent dans la mijoteuse et aident à bien braiser la viande. Il devrait y avoir un espace de 5 cm (2 po) entre la partie supérieure de la cocotte et les aliments pour permettre au plat de mijoter.

Comment adapter d'autres recettes à la mijoteuse?

Vous pouvez adapter, selon vos préférences, n'importe quelle recette d'un plat principal. Voici quelques suggestions à garder en tête:

- Étant donné qu'il y a peu d'évaporation des liquides dans une mijoteuse, réduisez environ de moitié la quantité de liquide de toute recette conventionnelle.
- Les légumes tendent à cuire plus lentement que les viandes. Pour éviter que les légumes soient sous-cuits, disposez-les dans le fond et contre les parois latérales de la cocotte et déposez-y la viande. Étant donné que les morceaux plus petits cuisent plus rapidement que les plus gros, coupez les carottes, les pommes de terre et les navets en bouchées et voyez à ce qu'ils soient recouverts de liquide de cuisson pour assurer une cuisson uniforme. Les pommes de terre peuvent être brossées, mais il n'est pas indispensable de les peler; non pelées, elles conserveront leur forme et leur couleur dans le liquide de cuisson.
- Ajoutez les légumes tendres comme les pois et les pois mange-tout ainsi que les légumes au goût prononcé comme le brocoli, les choux de Bruxelles, le chou-fleur et les légumes à tige (chou frisé, bette à carde) dans les 15 à 60 dernières minutes de cuisson. Les légumes surgelés comme les pois et le maïs devraient être ajoutés pendant les 15 à 30 dernières minutes. L'aubergine devrait être cuite à demi ou sautée pour en éliminer l'amertume.

- Les légumineuses doivent être amollies avant d'être ajoutées à toute recette. Le sucre et l'acide tendent à durcir les haricots secs et les empêchent d'amollir. Reportez-vous à l'information supplémentaire sur la cuisson des haricots secs du chapitre 3.
- Certains ingrédients comme les pâtes alimentaires, les fruits de mer, le lait, la crème et la crème sure (crème aigre) ne conviennent pas à la cuisson prolongée en mijoteuse. Ils devraient être ajoutés pendant la dernière heure de cuisson.
- Faites cuire les pâtes *al dente* avant de les ajouter à la mijoteuse.
- Du riz non cuit peut être ajouté à la mijoteuse, mais il faut ajouter 50 ml (1/4 de tasse) de liquide supplémentaire pour chaque 50 ml (1/4 de tasse) de riz. Utilisez le riz à grain long étuvé pour obtenir les meilleurs résultats dans vos plats de tous les jours. L'étuvage empêche les grains de riz de coller ensemble et permet une cuisson uniforme.

Le tableau qui suit sert à adapter certaines de vos recettes préférées à la mijoteuse. Gardez à l'esprit que ces temps de cuisson sont approximatifs et que vous pouvez mieux juger par vous-même lorsque vos aliments sont tendres et entièrement cuits.

Si la recette recommande	Faites cuire dans la mijoteuse
15 à 30 minutes	1 1/2 à 2 heures à haute température ou 4 à 6 heures à basse température
35 à 45 minutes	3 à 4 heures à haute température ou 6 à 10 heures à basse température
50 minutes à 3 heures	4 à 6 heures à haute température ou 8 à 18 heures à basse température

La plupart des combinaisons viande/légumes nécessiteront au moins 8 heures à basse température.

Assurer la salubrité de vos aliments avec la mijoteuse

En règle générale, les aliments cuits dans une mijoteuse atteignent leur température de cuisson interne assez rapidement pour empêcher la prolifération de bactéries. Pour qu'un aliment soit salubre, la mijoteuse doit pouvoir en assurer la cuisson assez lentement sans surveillance tout en conservant la chaleur de l'aliment au-dessus de la zone de danger de 80 °C (180 °F). Si vous disposez d'une vieille mijoteuse dans un coin d'armoire et que vous ignorez si elle fonctionne convenablement, essayez ceci:

1. Remplissez-la de 2 litres (8 tasses) d'eau.
2. Mettez le couvercle et faites chauffer à basse température pendant 8 heures.
3. Vérifiez la température de l'eau à l'aide d'un thermomètre à cuisson fiable. Faites vite étant donné qu'en retirant le couvercle pour une longue période, la température peut baisser de 10 à 15 degrés.
4. Le thermomètre devrait indiquer une température d'environ 85 °C (185 °F). Une température plus élevée indiquerait qu'un aliment ayant cuit pendant 8 heures, sans avoir été remué, serait trop cuit. Une température plus basse indiquerait que la mijoteuse ne génère pas suffisamment de chaleur pour éviter des problèmes de salubrité des aliments.

Même si votre mijoteuse fonctionne normalement, il est important de suivre quelques directives pour assurer un maximum de salubrité. D'abord et avant tout, utilisez toujours des aliments frais ou décongelés (jamais surgelés), surtout dans le cas de viandes. Les légumes surgelés comme les pois verts et le maïs peuvent être ajoutés en fin de cuisson puisqu'ils sont cuits à demi et surgelés par le fabricant. Lorsque vous utilisez des viandes hachées — incluant le bœuf, le porc, la dinde ou le poulet —, faites-les toujours dorer avant de les ajouter à la mijoteuse avec les autres ingrédients. Si vous le souhaitez, faites cuire la viande à haute température d'abord pendant 1 heure et ensuite réglez la mijoteuse à basse température pour le reste du temps de cuisson. Dans le cas de soupes et de ragoûts, laissez environ 5 cm (2 po) entre le dessus de la cocotte et le couvercle pour permettre au plat de mijoter. Si vous faites cuire une soupe ou un ragoût à haute température, surveillez bien la cuisson étant donné qu'il peut aisément s'installer une ébullition à cette température. Pour éviter de vous brûler avec la vapeur en soulevant le couvercle, retirez-le en direction opposée à vous.

Que faire avec les restes?

Les aliments ne doivent pas être réchauffés dans la mijoteuse. Tout comme dans le cas de la cuisson conventionnelle, tout reste doit être retiré de la mijoteuse et rangé dans le réfrigérateur dans des contenants de plastique pendant un maximum de 2 jours ou congelé pour usage ultérieur. (La plupart des recettes du présent livre se congèlent bien et peuvent être réchauffées.) Les restes peuvent être décongelés et réchauffés dans un four conventionnel, au micro-ondes ou sur la cuisinière.

Amuse-gueule et boissons

29

Trempette chaude au bacon et à l'oignon

DONNE ENVIRON 750 ML
(3 TASSES)

Pourquoi acheter des produits du commerce quand vous pouvez offrir à vos invités cette trempette délicieuse et originale? Essayez-la avec des croustilles ou, pour faire changement, des bretzels ou des bâtonnets au sésame. Tout le monde en raffolera.

Une mini-mijoteuse (1 litre) est idéale lorsque vous recevez. Elle est bon marché et très pratique pour concocter des trempettes et des tartinades chaudes.

Le soir précédent

Les ingrédients de cette trempette peuvent être assemblés jusqu'à 24 heures à l'avance et réfrigérés. Mettez-les dans la mijoteuse graissée et faites-les chauffer tel qu'il est indiqué.

	Cocotte de la mijoteuse légèrement graissée	
6	tranches de bacon, hachées finement	6
250 g	fromage à la crème léger, ramolli	1/2 lb
250 ml	crème sure (crème aigre) légère	1 tasse
125 ml	cheddar fort, râpé	1/2 tasse
2	oignons verts, hachés finement	2
	Croustilles ou craquelins	

1. Dans un poêlon à revêtement antiadhésif à feu moyen, faire cuire le bacon pendant 7 à 8 minutes ou jusqu'à ce qu'il soit croustillant. Déposer sur un papier absorbant dans une assiette.
2. Bien mélanger le fromage à la crème, le bacon cuit, la crème sure (crème aigre), le cheddar et les oignons verts dans un bol. Mettre dans la cocotte graissée.
3. Mettre le couvercle et laisser cuire à haute température pendant 1 heure ou jusqu'à ce que le fromage soit fondu (ne pas remuer). Régler la mijoteuse à basse température jusqu'au moment de servir.
4. À l'aide d'une cuiller, mettre la trempette dans un bol de service et servir accompagnée de croustilles. La trempette se conservera bien au réfrigérateur pendant plusieurs jours. Pour réchauffer des restes, il suffit de faire chauffer au micro-ondes à intensité moyenne pendant 2 à 3 minutes. Remuez avant de servir.

Tartinade chaude de crabe, artichauts et jalapeño

DONNE ENVIRON 750 ML

(3 TASSES)

Cette tartinade est un vrai délice pendant la saison froide: chaude et crémeuse, relevée juste à point par le piment jalapeño. À servir après une journée de ski, accompagnée d'une corbeille de bâtonnets de pain ou de craquelins.

Une mayonnaise régulière ou légère convient bien à cette recette. Veillez à ce que ce soit de la vraie mayonnaise et non de la sauce pour salade.

Vous pouvez remplacer la chair de crabe par 110 g (1/4 de lb) de crevettes en conserve, bien égouttées.

	Cocotte de la mijoteuse légèrement graissée	
5 ml	huile végétale	1 c. à thé
1	piment jalapeño, épépiné et haché finement	1
1/2	poivron rouge, haché finement	1/2
400 ml	cœurs d'artichauts, égouttés et hachés finement	14 oz
250 ml	mayonnaise	1 tasse
50 ml	parmesan, fraîchement râpé	1/4 de tasse
2	oignons verts, hachés finement	2
10 ml	jus de citron	2 c. à thé
10 ml	sauce Worcestershire	2 c. à thé
2 ml	graines de céleri	1/2 c. à thé
170 g	chair de crabe, égouttée	6 oz

1. Dans un poêlon à revêtement antiadhésif, faire chauffer l'huile à feu moyen. Ajouter le jalapeño et le poivron rouge; faire revenir pendant 5 minutes ou jusqu'à ce qu'ils soient tendres.
2. Bien mélanger dans un bol les artichauts, la mayonnaise, le parmesan, les oignons verts, le jus de citron, la sauce Worcestershire, les graines de céleri, la chair de crabe, le piment et le poivron cuits. Mettre dans la cocotte graissée.
3. Mettre le couvercle et laisser cuire à basse température pendant 4 à 6 heures ou à haute température pendant 2 à 2 1/2 heures. Ne pas remuer. Autrement, cuire à haute température pendant 1 1/2 à 2 heures et ensuite continuer la cuisson à basse température pour garder au chaud jusqu'au moment de servir.

Trempette de haricots noirs frits

8 À 10 PORTIONS

Contrairement à la croyance populaire, les haricots frits ne sont pas frits deux fois : ils sont d'abord bouillis dans de l'eau et ensuite frits dans un poêlon. En fait, la trempette dont il est question ici n'est pas frite du tout, mais la mijoteuse lui donne cette bonne saveur que confère la friture.

Truc

▪ Servez-vous du reste de trempette pour vous façonner un délicieux burrito : étalez la trempette sur une tortilla de farine chauffée ; ajoutez-y du bœuf haché cuit et assaisonné, de la laitue et de la tomate hachées, de la salsa et de la crème sure ; roulez le tout et servez accompagné de salsa supplémentaire.

	Cocotte de la mijoteuse légèrement graissée	
10 ml	huile végétale	2 c. à thé
1	oignon moyen, haché finement	1
4	gousses d'ail, émincées	4
20 ml	poudre chili	1 1/2 c. à soupe
5 ml	cumin moulu	1 c. à thé
1,1 litre	haricots pintos ou romains en conserve, rincés et égouttés	4 1/2 tasses
175 ml	eau chaude	3/4 de tasse
2 ml	sel	1/2 c. à thé
250 ml	cheddar râpé	1 tasse
125 ml	crème sure (crème aigre) légère	1/2 tasse
	Oignons verts, hachés	
	Tortillas croustillants	

1. Dans un petit poêlon, faire chauffer l'huile à feu moyen. Ajouter l'oignon, l'ail, la poudre chili et le cumin ; faire revenir pendant 5 minutes ou jusqu'à ce que l'oignon devienne translucide et tendre. Réserver.

2. Dans un bol, à l'aide d'un pilon (ou dans un mélangeur ou un robot culinaire), combiner les haricots et l'eau chaude jusqu'à l'obtention d'une texture onctueuse. Ajouter le mélange assaisonné d'oignon et le sel ; mélanger bien. Mettre dans la cocotte graissée.

3. Mettre le couvercle et laisser cuire à basse température pendant 3 à 4 heures ou à haute température pendant 1 à 2 heures. Régler la mijoteuse à basse température. Saupoudrer de cheddar râpé et déposer

à la cuiller de la crème sure au centre de la trempette. Remettre le couvercle et cuire 20 minutes de plus ou jusqu'à ce que le fromage soit fondu. Laisser la mijoteuse à basse température pour garder la trempette au chaud jusqu'au moment de servir. Garnir d'oignons verts et servir avec des tortillas croustillants.

Trempette aux fruits de mer

4 à 6 PORTIONS

Il ne suffit que de 5 minutes pour préparer les ingrédients et ensuite de quelques heures de cuisson sans surveillance pour obtenir cette exceptionnelle trempette pour des légumes, des craquelins ou de minces tranches de baguette.

Une minimijoteuse (1 litre) est idéale pour cette recette; la taille est parfaite et elle gardera le contenu bien au chaud pour servir vos invités.

Il est peu probable qu'il vous restera de la trempette. Si oui, réfrigérez le reste, que vous pourrez déguster le lendemain. Il suffit de réchauffer la trempette au micro-ondes à intensité moyenne pendant 2 à 2 1/2 minutes.

	Cocotte de la mijoteuse légèrement graissée	
250 g	fromage à la crème, ramolli	1/2 lb
125 ml	mayonnaise	1/2 tasse
3	oignons verts, hachés	3
2	gousses d'ail, émincées	2
25 ml	jus de citron	2 c. à soupe
50 ml	concentré de tomates	1/4 de tasse
225 g	mini-crevettes	1/2 lb
	OU	
350 g	chair de crabe, égouttée	3/4 de lb
	Sel et poivre	

1. Mélanger le fromage à la crème, la mayonnaise, les oignons verts, l'ail, le jus de citron et le concentré de tomates. Incorporer les crevettes, en les pilant à l'aide d'une fourchette. Assaisonner au goût de sel et poivre. Alternative : réunir tous les ingrédients, sauf les crevettes, dans un robot culinaire; donner 2 ou 3 impulsions jusqu'à ce que le mélange soit onctueux et homogène; ajouter les crevettes et donner 1 ou 2 impulsions de plus. Mettre le mélange dans la mijoteuse.

2. Mettre le couvercle et laisser cuire à basse température de 2 à 3 heures ou à haute température pendant 1 à 1 1/2 heure. Régler la mijoteuse à basse température pour garder la trempette au chaud jusqu'au moment de servir accompagnée d'une variété de légumes ou de craquelins.

Ailes de poulet à l'orientale

8 À 10 PORTIONS

(COMME AMUSE-GUEULE) OU

4 À 6 PORTIONS

(COMME PLAT PRINCIPAL)

Trucs

- Cette recette est l'une de mes préférées pour un buffet. Mais elle peut être servie comme plat principal sur un lit de riz vapeur.
- Achetez des ailes séparées d'avance pour faciliter la préparation.
- Cette recette peut facilement être doublée pour un groupe nombreux.
- Les ailes sont également délicieuses servies froides. Réfrigérez donc tout reste dont vous pourrez vous régaler le lendemain.

	Préchauffer le gril	
	Plaque à cuisson, recouverte d'une feuille d'aluminium	
1 kg	ailes de poulet, extrémités retirées et fendues en deux à l'articulation	2 lb
125 ml	vinaigre de cidre	1/2 tasse
125 ml	cassonade	1/2 tasse
50 ml	sauce soja	1/4 de tasse
50 ml	eau	1/4 de tasse
4	gousses d'ail, émincées	4
5 ml	jus de citron	1 c. à thé
5 ml	gingembre moulu	1 c. à thé
2 ml	moutarde sèche	1/2 c. à thé
	Graines de sésame (facultatif)	

1. Disposer les ailes de poulet sur la plaque de cuisson préparée. Faire cuire doucement les ailes sous le gril préchauffé, à 15 cm (6 po) du gril, pendant 10 à 20 minutes ou jusqu'à ce qu'elles soient dorées, les retournant une fois pendant la cuisson. Mettre les ailes dans la mijoteuse ; jeter la feuille d'aluminium et les jus de cuisson.

2. Dans un bol, bien mélanger le vinaigre, la cassonade, la sauce soja, l'eau, l'ail, le jus de citron, le gingembre et la moutarde, et verser sur les ailes.

3. Les ailes peuvent être servies directement de la mijoteuse ou disposées dans un plat de service. Si désiré, garnir de graines de sésame.

Boulettes de viande savoureuses, sauce aux canneberges (airelles)

10 À 15 PORTIONS

(COMME AMUSE-GUEULE) OU

6 À 8 PORTIONS

(COMME PLAT PRINCIPAL)

Ces délicieuses boulettes de viande sont idéales pour les fêtes. Ce plat peut être préparé, apporté et même servi directement dans la cocotte de la mijoteuse.

À préparer à l'avance
Ces boulettes peuvent être préparées jusqu'à un jour à l'avance et réfrigérées ou congelées crues pendant un maximum de 2 mois. Pour congeler, disposez les boulettes en une seule couche sur une plaque de cuisson. Une fois congelées, mettez-les dans un contenant. Pour préparer le plat, mettez les boulettes dans la mijoteuse. Ajoutez la sauce et faites chauffer à basse température pendant 6 à 10 heures.

	Four préchauffé à 180 ºC (350 ºF)		
	Tôle à biscuits (ou plat à rôtir), non graissée		

BOULETTES

1 kg	bœuf ou porc maigre, haché	2 lb
2 œufs	légèrement battus	2
250 ml	chapelure fine	1 tasse
2 ml	sel	1/2 c. à thé
2 ml	poivre noir	1/2 c. à thé
2 ml	poudre d'ail	1/2 c. à thé
2 ml	paprika	1/2 c. à thé

SAUCE AUX CANNEBERGES (AIRELLES)

250 ml	ketchup	1 tasse
250 ml	jus de tomate	1 tasse
400 ml	sauce de canneberges (airelles) entières maison ou en conserve	1 1/2 tasse
1	oignon moyen, haché finement	1
15 ml	cassonade	1 c. à soupe
5 ml	gingembre moulu	1 c. à thé

1. Boulettes : dans un grand bol, bien mélanger à la main le bœuf, les œufs, la chapelure, le sel, le poivre, la poudre d'ail et le paprika. Façonner des boulettes d'environ 2,5 cm (1 po). Les disposer sur une plaque à biscuits. Faire cuire dans un four préchauffé, à découvert, pendant 18 à 20 minutes, ou jusqu'à ce qu'elles soient bien dorées. Égoutter tous les jus accumulés et mettre dans la mijoteuse.

2. Sauce aux canneberges : dans un bol, rassembler le ketchup, le jus de tomate, la sauce de canneberges, l'oignon, la cassonade et le gingembre ; bien mélanger et verser sur les boulettes. Mettre le couvercle et cuire à basse température de 6 à 10 heures ou à haute température de 3 à 4 heures.

3. Les boulettes peuvent être servies directement de la mijoteuse, ou mises dans un bol et garnies de persil haché. En plat principal, servir sur des nouilles au beurre chaudes.

Bouchées de porc à la pékinoise

DONNE ENVIRON 24 BOUCHÉES

Vous serez incapable de n'en manger que quelques-unes. La sauce les rend succulentes.

	Préchauffer le four à 180 ºC (350 ºF)	
	Plaque de cuisson recouverte de papier d'aluminium	

BOUCHÉES

500 g	porc haché maigre	1 lb
125 ml	chapelure fine	1/2 tasse
25 ml	sauce hoisin	2 c. à soupe
2	gousses d'ail, émincées	2
1	oignon vert, émincé	1
1	œuf, légèrement battu	1

SAUCE À LA PÉKINOISE

175 ml	sauce hoisin	3/4 de tasse
175 ml	gelée de cassis	3/4 de tasse
15 ml	jus de citron	1 c. à soupe
2	gousses d'ail, émincées	2
15 ml	gingembre frais, râpé	1 c. à soupe
	OU	
5 ml	gingembre moulu	1 c. à thé
	Graines de sésame	

Truc

- On trouve la sauce hoisin, sucrée mais un peu piquante, dans la section des aliments orientaux des supermarchés.

À préparer à l'avance

Les bouchées au porc peuvent être préparées une journée à l'avance et réfrigérées crues (ou congelées jusqu'à 2 mois). Pour congeler, disposez-les en une couche sur une plaque à biscuits et metttez-les au congélateur. Une fois congelées, mettez-les dans un contenant avec un couvercle ou dans des sacs à congélateur refermables. Faites décongeler avant d'incorporer à la sauce.

1. Bouchées de porc: bien mélanger dans un bol le porc haché, la chapelure, la sauce hoisin, l'ail, l'oignon vert et l'œuf. Façonner des boulettes de 2,5 cm (1 po).

2. Disposer les boulettes sur la plaque de cuisson et faire cuire au four préchauffé pendant 20 minutes ou jusqu'à ce qu'elles soient dorées. Mettre les boulettes dans la mijoteuse. Jeter la feuille d'aluminium et les jus de cuisson.

3. Sauce pékinoise: dans une tasse graduée ou un bol de 1 litre (4 tasses), mettre la sauce hoisin, la gelée de cassis, le jus de citron, l'ail et le gingembre; bien mélanger et verser sur les boulettes. Mettre le couvercle et faire cuire à basse température de 5 à 6 heures ou à haute température de 2 à 3 heures.

4. Les boulettes peuvent être servies directement de la mijoteuse ou disposées dans un plat de service et parsemées de graines de sésame.

Noix de Grenoble au cari

DONNE ENVIRON 1 LITRE
(4 TASSES)

*Ces petites grignotines
ont une saveur exotique et
épicée que j'adore déguster
en lisant un bon roman.
Impossible de n'en manger
qu'une seule.*

Truc

- Conservation des noix : Compte tenu de leur teneur élevée en gras, les noix (surtout les noix de Grenoble) deviendront rapidement rances si elles ne sont pas conservées au réfrigérateur ou au congélateur. Si possible, goûtez-les avant de les acheter. Si vous les conservez au congélateur, il est inutile de les décongeler avant de vous en servir.

50 ml	beurre ou margarine, fondu	¼ de tasse
25 ml	cari	2 c. à soupe
25 ml	sauce Worcestershire	2 c. à soupe
10 ml	sel	2 c. à thé
5 ml	poudre d'oignon	1 c. à thé
1 litre	demi-cerneaux de noix de Grenoble	4 tasses

1. Dans une tasse graduée de 250 ml (1 tasse), mettre le beurre, le cari, la sauce Worcestershire, le sel et la poudre d'oignon ; bien mélanger. Mettre les noix dans la mijoteuse et y verser le mélange au beurre ; remuer pour bien enrober les noix.
2. Mettre le couvercle et faire cuire à haute température, en remuant à 2 ou 3 reprises pendant la cuisson, pendant 2 heures ou jusqu'à ce que les noix soient bien dorées et odorantes.
3. Laisser refroidir et conserver dans un contenant hermétique pendant un maximum de 3 semaines.

Graines et noix bien relevées

DONNE ENVIRON 625 ML
(2 1/2 TASSES)

Cette savoureuse collation se conservera jusqu'à deux semaines dans un contenant hermétique.

Variante
Les graines de tournesol peuvent être remplacées par des graines de citrouille ou des haricots de soja séchés. Vous les trouverez dans les supermarchés qui vendent des produits en vrac ou dans les magasins d'aliments naturels.

500 ml	noix d'acajou, noix de pécan ou amandes non salées	2 tasses
125 ml	graines de tournesol non salées	1/2 tasse
25 ml	beurre ou margarine, fondu	2 c. à soupe
50 ml	sauce soja	1/4 de tasse
2 ml	sel	1/2 c. à thé
1 ml	sauce piquante au piment	1/4 de c. à thé

1. Verser les noix et les graines de tournesol dans la mijoteuse. Y ajouter le beurre, la sauce soja, le sel et la sauce piquante au piment ; bien remuer les noix pour qu'elles soient bien enrobées du mélange au beurre. Mettre le couvercle et laisser cuire pendant 2 heures à haute température, en remuant fréquemment (environ à 4 ou 5 reprises). Laisser tiédir et servir.

Noix et maïs éclaté épicés

DONNE ENVIRON 750 ML
(3 TASSES)

*Si vous êtes comme moi, vous
appréciez énormément une
petite collation dans la soirée,
une fois que les enfants sont
couchés. Mon mari et moi
adorons ce petit mélange qui
marie du maïs éclaté croquant
et des noix épicées et
savoureuses.*

Trucs

- À savourer avec une bière
  froide ou une tisane.
- Ce mélange se conserve bien
  dans un contenant de plastique
  hermétique pendant un
  maximum d'une semaine.

50 ml	maïs à éclater	1/4 de tasse
125 ml	arachides, salées ou non salées	1/2 tasse
125 ml	noix de pécan en demies	1/2 tasse
25 ml	beurre fondu	2 c. à soupe
10 ml	poudre chili	2 c. à thé
5 ml	poudre d'ail	1 c. à thé
2 ml	cumin moulu	1/2 c. à thé
2 ml	sel	1/2 c. à thé

1. Dans un éclateur à maïs ou une grande casserole dotée d'un couvercle étanche, faire éclater le maïs. Verser dans un grand bol avec les arachides et les noix de pécan.
2. Dans un petit bol, bien mélanger le beurre, la poudre chili, la poudre d'ail, le cumin et le sel. Saupoudrer cet assaisonnement sur le maïs et les noix en remuant pour bien les enrober.
3. Verser le mélange dans la mijoteuse. Mettre le couvercle et laisser cuire à haute température pendant 2 heures; remuer une ou deux fois pendant la cuisson. Laisser tiédir et servir.

Mélange de fruits secs hivernal

(Voir photo, p. 64)

DONNE ENVIRON 1,5 LITRE
(6 TASSES)

De beaux morceaux de noix de pécan caramélisées combinés à des cerises et des abricots séchés font un mélange irrésistible qui se prépare en un clin d'œil. Conservez-le dans un contenant de plastique hermétique pendant un maximum d'une semaine.

Variante
Ajoutez des cerises ou des bleuets (myrtilles) enrobés de chocolat au mélange cuit et tiédi. Délicieux!

	Tôle à biscuits, recouverte de papier d'aluminium	
125 ml	sucre	1/2 tasse
25 ml	beurre (ou margarine), fondu	2 c. à soupe
20 ml	eau	1 1/2 c. à soupe
2 ml	vanille	1/2 c. à thé
375 ml	noix de pécan en demies	1 1/2 tasse
250 ml	amandes entières	1 tasse
25 ml	zeste d'orange, finement râpé	2 c. à thé
375 ml	bâtonnets de sésame ou de bretzels	1 1/2 tasse
250 ml	abricots séchés	1 tasse
250 ml	cerises ou canneberges (airelles) séchées	1 tasse

1. Dans une petite tasse graduée en verre, mettre le sucre, le beurre, l'eau et la vanille. Mettre les noix de pécan et les amandes dans la mijoteuse; y verser le mélange de beurre et bien mélanger pour en enrober tous les morceaux.

2. Mettre le couvercle et faire cuire à haute température, en remuant fréquemment, de 2 à 3 heures ou jusqu'à ce que le mélange de sucre soit d'un beau brun doré et que les noix soient grillées. Incorporer le zeste d'orange; remuer pour bien enrober les morceaux et étaler sur une plaque à biscuits. Réserver et laisser tiédir.

3. Dans un grand bol ou un contenant hermétique, mélanger les noix et les bâtonnets de sésame, les abricots et les cerises.

Boisson aux pommes
et à la cannelle

DONNE 2 LITRES (8 TASSES)

Truc

- Pendant que cette boisson chauffe, l'air de la maison se remplit d'un parfum épicé et invitant. Pour une présentation colorée, servez-la dans une grande tasse et ajoutez-y un bonbon à la canelle en bâton pour remuer.

	Mousseline et bande élastique ou ficelle de cuisine	
	Préchauffer le four à 180 °C (350 °F)	
	Plat allant au four de 3 litres (13 x 19 po)	
2	**bâtons de cannelle**	2
5 ml	**clous de girofle entiers**	1 c. à thé
5 ml	**baies de piment de la Jamaïque entières**	1 c. à thé
2 litres	**cidre**	8 tasses
125 ml	**cassonade tassée**	1/2 tasse
1	**orange, tranchée**	1
3	**grosses pommes à cuire, cœur enlevé (facultatif)**	3

1. Doubler un carré de mousseline et y déposer les bâtons de cannelle, les clous et le piment de la Jamaïque. Joignez les quatre coins du tissu et ficeler à l'aide d'une bande élastique ou de ficelle de cuisine pour former un sachet.

2. Mettre dans la mijoteuse le cidre et la cassonade en remuant jusqu'à ce que la cassonade soit fondue. Ajouter le sachet d'épices. Placer les tranches d'orange sur le dessus. Mettre le couvercle et faire cuire à basse température de 2 à 5 heures ou jusqu'à ce que le tout soit chaud. Retirer le sachet d'épices et jeter.

3. Facultatif : pour décorer, couper en deux et transversalement les pommes et les disposer, le côté tranché vers le bas, dans un plat allant au four. Faire cuire dans un four préchauffé pendant 25 minutes ou jusqu'à ce que les moitiés de pommes cèdent sous les dents d'une fourchette. Déposer les pommes dans la boisson, le côté non pelé visible à la surface.

Chocolat chaud au caramel

10 À 12 PORTIONS

Une gorgée ou deux de cette boisson populaire par temps froid en fera sourire plus d'un, surtout une fois que son ingrédient secret — une tablette de chocolat au caramel — sera dissous.

Truc

- J'utilise de la poudre de lait écrémé parce qu'elle ne risque pas de cailler et elle résiste bien à la cuisson prolongée. Vous serez étonné de la texture crémeuse de cette boisson.

Variante

Vous pouvez remplacer la crème fouettée par des mini-guimauves. Pour une variante pour adulte, ajoutez-y un peu d'Irish Cream ou de brandy.

1 litre	poudre de lait écrémé	4 tasses
75 ml	cacao	3/4 de tasse
125 ml	sucre	1/2 tasse
2 litres	eau	8 tasses
1	tablette de chocolat fourré au caramel d'environ 50 g (2 oz)	1
	Crème fouettée	
	Chocolat râpé (facultatif)	

1. Mettre la poudre de lait écrémé, le cacao et le sucre dans la mijoteuse; bien remuer. Ajouter lentement l'eau en fouettant sans arrêt pour éviter les grumeaux.
2. Mettre le couvercle et faire cuire à basse température de 4 à 5 heures ou jusqu'à ce que la boisson soit chaude.
3. Briser la tablette de chocolat en morceaux et ajouter au chocolat chaud. Servir à la louche dans des chopes et garnir de crème fouettée et de chocolat râpé.

Rhum chaud au beurre

6 À 8 PORTIONS

Trucs

- À la fin d'une belle journée passée sur les pentes de ski, cette boisson chaude réchauffera tout le monde de la tête aux pieds. Servir dans des chopes garnies de bâtons de cannelle.
- Le rhum ambré ou brun est préférable pour cette boisson. Le rhum blanc y confère un goût plutôt métallique.

	Mousseline et bande élastique ou ficelle de cuisine	
500 ml	cassonade tassée	2 tasses
125 ml	beurre	1/2 tasse
Pincée	sel	Pincée
2 ml	muscade moulue	1/2 c. à thé
1,5 litre	eau chaude	6 tasses
3 ou 4	clous de girofle entiers	3 ou 4
3	bâtons de cannelle	3
500 ml	rhum ambré ou brun	2 tasses

1. Mettre dans la mijoteuse la cassonade, le beurre, le sel et la muscade. Y verser l'eau chaude en remuant jusqu'à ce que le beurre soit fondu et le sucre dissous.
2. Emballer les clous de girofle et la cannelle dans de la mousseline, fermée par une bande élastique, et déposer dans la mijoteuse.
3. Mettre le couvercle et laisser cuire à basse température de 4 à 10 heures. Ajouter le rhum juste avant de servir.

Vin rouge chaud

12 PORTIONS

Vous frissonnez? Rien de mieux qu'une bonne tasse de vin rouge chaud pour vous réchauffer le cœur et le corps.

Truc
- Ne laissez pas les pelures de fruits citrins flotter dans le vin plus de 4 heures, sinon le vin deviendra amer.

	Mousseline et bande élastique ou ficelle de cuisine	
2	bouteilles de 750 ml (25 oz) de vin rouge	2
500 ml	jus d'orange	2 tasses
500 ml	jus d'ananas	2 tasses
125 ml	sucre	1/2 tasse
1	citron, tranché	1
1	orange, tranchée	1
2	bâtons de cannelle	2
4	clous de girofle	4
4	baies de poivre de la Jamaïque	4

1. Dans la mijoteuse, mélanger le vin, les jus d'orange et d'ananas, le sucre, les tranches de citron et d'orange. Emballer les bâtons de cannelle, les clous de girofle et les baies dans un carré de mousseline fermé avec une bande élastique. Laisser flotter dans le mélange au vin.
2. Mettre le couvercle et laisser cuire à basse température 4 heures ou jusqu'à ce que le vin soit chaud. Retirer le sachet de mousseline et les tranches de citron et d'orange. Laisser la mijoteuse réglée à basse température. Elle conservera la température idéale de service pendant un maximum de 4 heures.

Réchauffe-cœur épicé aux canneberges (airelles)

(Voir photo, p. 64)

(Voir photo, p. 64)

DONNE ENVIRON 3 LITRES
(12 TASSES)

Ce réchauffe-cœur non alcoolisé est idéal à la fin d'une journée d'hiver passée à jouer dehors en famille.

Trucs

- Pour une variante alcoolisée et fruitée, ajoutez une goutte de schnaps aux pêches ou aux pommes dans la tasse.

	Sachet de mousseline et bande élastique ou ficelle de cuisine	
1,5 litre	jus de canneberge (airelle)	6 tasses
700 ml	limonade concentrée surgelée, décongelée	1 ½ tasse
500 ml	eau	2 tasses
2	bâtons de cannelle	2
2 ml	poivre de la Jamaïque moulu	½ c. à thé
1	citron, coupé en tranches épaisses	1

1. Mettre le jus de canneberge (airelle), le concentré de limonade et l'eau dans la mijoteuse.
2. Emballer la cannelle et le poivre de la Jamaïque dans un sachet de mousseline et fermer avec une bande élastique. Ajouter au mélange de jus. Laisser flotter les tranches de citron dans le jus.
3. Mettre le couvercle et laisser cuire à basse température pendant 4 heures ou jusqu'à ce que la boisson soit chaude. Retirer le sachet de mousseline. Laisser la mijoteuse réglée à basse température. Elle conservera le punch à la bonne température de service pendant un maximum de 4 heures.

Punch d'hiver épicé

6 À 8 PORTIONS

Truc

- Si vous avez de la difficulté
  à trouver du cocktail aux
  canneberges (airelles)-pommes,
  utilisez 1,5 litre (6 tasses)
  de jus de pommes et 500 ml
  (2 tasses) de cocktail aux
  canneberges (airelles).

	Mousseline, bande élastique ou ficelle de cuisine	
2 litres	cocktail aux canneberges (airelles)-pommes	8 tasses
5 ml	jus de citron	1 c. à thé
125 g	bonbons à la cannelle en forme de cœur	1/4 de lb
2	bâtons de cannelle	2
16	clous de girofle entiers	16
250 ml	rhum blanc	1 tasse

1. Mettre le cocktail aux canneberges (airelles)-pommes, le jus de citron et les bonbons à la cannelle dans la mijoteuse.
2. Emballer les bâtons de cannelle et les clous de girofle dans un sachet de mousseline, fermer avec une bande élastique et placer dans la mijoteuse. Mettre le couvercle et faire chauffer à basse température de 4 à 6 heures ou à haute température de 1 à 2 heures.
3. Y verser le rhum juste avant de servir.

Soupes

51

Soupe d'automne

4 À 6 PORTIONS

Voici une soupe débordante de saveurs des récoltes de la saison, une bonne entrée pour un repas de fête, servie avec une baguette de pain, ou simplemnt pour se réchauffer en après-midi. Son caractère automnal provient du mariage de rutabaga, de graines de cumin et de paprika.

Ajoutez une touche décorative : versez la soupe à la louche dans des bols et déposez une cuillerée de crème sure à la surface.

À l'aide d'une brochette, dessinez un motif dans la crème. Garnissez de bacon émietté si désiré.

500 g /1 litre	rutabagas, pelés et coupés en dés de 2,5 cm (1 po)	1 lb/4 tasses
1	oignon, haché	1
1	pomme de terre, pelée et coupée en cubes	1
2	carottes, pelées et hachées	2
250 ml	bouillon de poulet	1 tasse
125 ml	vin blanc sec	1/2 tasse
500 ml	eau	2 tasses
25 ml	cassonade	2 c. à soupe
10 ml	graines de cumin	2 c. à thé
15 ml	paprika	1 c. à soupe
500 ml	lait ou crème légère (5 %)	2 tasses
	Crème sure (crème aigre)	
	Bacon émietté (facultatif)	

*Le rutabaga est un cousin
à chair jaune du navet,
bien qu'il soit plus gros et
légèrement plus sucré. Le
rutabaga et le navet (vous
pouvez utiliser l'un ou
l'autre dans cette recette)
se conserveront tout l'hiver
dans une chambre froide.
Souvenez-vous de peler ces
légumes avant de les faire
cuire.*

À préparer à l'avance
La purée et le bouillon de
légumes peuvent être préparés
à l'avance et réfrigérés jusqu'à
3 jours ou congelés jusqu'à
1 mois. Faites réchauffer la purée
décongelée dans la mijoteuse et
ajoutez-y, tel qu'il est indiqué, le
bouillon décongelé et la crème.

1. Mettre dans la mijoteuse le rutabaga, l'oignon, la pomme de terre, les carottes, le bouillon, le vin, l'eau, la cassonade, les graines de cumin et le paprika. Mettre le couvercle et laisser cuire à basse température de 10 à 12 heures ou à haute température de 6 à 8 heures, jusqu'à ce que les légumes soient tendres.
2. Égoutter les légumes ; réserver le bouillon. Dans un mélangeur ou un robot culinaire, réduire en purée les légumes par petites quantités à la fois. Verser la purée dans la mijoteuse ; ajouter le bouillon réservé et le lait. Faire chauffer à basse température de 25 à 30 minutes ou jusqu'à ce que la soupe soit bien chaude.
3. Verser à la louche dans des bols individuels, garnir d'une bonne cuillerée de crème sure et parsemer de bacon émietté.

Soupe facile aux haricots et à l'orge

6 À 8 PORTIONS

Truc

- Voilà une façon bien simple de préparer le repas — et les enfants adorent! J'aime savoir que je peux ouvrir les portes du garde-manger et me servir de produits en conserve pratiques pour préparer en un clin d'œil une bonne soupe santé.

Variante

Pour obtenir un bouillon goûteux et agréablement parfumé, essayez des haricots en sauce tomate avec du sirop d'érable. Ou ajoutez simplement 25 ml (2 c. à soupe) de sirop d'érable aux ingrédients.

Pour faire plaisir aux enfants, ajoutez-y quelques bouts de saucisses fumées.

☾ Le soir précédent

Ce repas peut être entièrement préparé le soir précédent. Il suffit de suivre les directives de la préparation et de réfrigérer le tout pendant la nuit dans la cocotte de la mijoteuse. Le lendemain, placez la cocotte dans la coque et faites cuire comme l'indique la recette.

400 ml	haricots en sauce tomate en conserve	14 oz
2	pommes de terre moyennes, pelées et hachées finement	2
1	branche de céleri, hachée finement	1
1	gros oignon, haché finement	1
2	poireaux (partie blanche seulement) parés, bien rincés et tranchés mince	2
2	carottes moyennes, coupées en dés	2
1,5 litre	bouillon de bœuf	6 tasses
125 ml	orge perlé ou mondé, rincé	1/2 tasse
Pincée	muscade moulue	Pincée

1. Dans la mijoteuse, réunir les haricots, les pommes de terre, le céleri, l'oignon, les poireaux, les carottes, le bouillon, l'orge et la muscade.

2. Mettre le couvercle et laisser cuire à basse température de 8 à 10 heures ou à haute température de 4 à 6 heures jusqu'à ce que les légumes soient tendres et que la soupe bouillonne.

Soupe à la dinde

(voir recette, page 63)

4 À 6 PORTIONS

Trucs
- Pour une variante plus crémeuse, remplacez les tomates par 400 ml (14 oz) de maïs en crème.
- Vous obtiendrez de meilleurs résultats avec les plats qui cuisent toute la journée si vous utilisez du riz à grain long étuvé.

À préparer à l'avance
Je prépare souvent du bouillon de dinde que je fais congeler. La viande, détachée des os, peut également être emballée et congelée pour usage ultérieur. Décongelez d'abord le bouillon et la viande ; ajoutez-les à la mijoteuse et poursuivez tel qu'il est indiqué.

1,5 litre	bouillon de dinde ou de poulet (voir recette, page 63)	6 tasses
	OU	
850 ml	bouillon de poulet en conserve, dilué avec une quantité égale d'eau	3 3/4 tasses
500 ml	dinde cuite, hachée	2 tasses
550 ml	tomates en conserve, avec leur jus, hachées	19 oz
2	carottes moyennes, hachées	2
2	branches de céleri, hachées	2
1	oignon moyen, haché	1
50 ml	riz à grain long étuvé	1/4 de tasse
25 ml	persil frais, haché	2 c. à soupe
	OU	
10 ml	persil séché	2 c. à thé
2 ml	thym séché	1/2 c. à thé
375 ml	grains de maïs surgelés	1 1/2 tasse
	Sel et poivre	

1. Mettre dans la mijoteuse le bouillon, la dinde, les tomates, les carottes, le céleri, l'oignon, le riz, le persil et le thym.
2. Mettre le couvercle et cuire à basse température de 8 à 10 heures ou à haute température de 4 à 6 heures, jusqu'à ce que les légumes soient tendres et que la soupe bouillonne. Ajouter le maïs ; remettre le couvercle et laisser cuire à haute température pendant 20 minutes. Saler et poivrer au goût.

Goulasch au bœuf

6 À 8 PORTIONS

Cette soupe ressemble à un ragoût. Son goût savoureux de bœuf a un charme à l'ancienne qui plaît.

Trucs

- Pour un repas léger, servez-la avec des petits pains croûtés et une salade verte.
- Cette recette de soupe est assez copieuse pour que vous ayez des restes. Elle se congèle bien dans des contenants à congélateur. Étiquetez-les et congelez-les pendant un maximum de 3 mois. Ajoutez 125 ml (1/2 tasse) d'eau à la soupe lorsque vous la réchauffez.

50 ml	farine	1/4 de tasse
10 ml	paprika	2 c. à thé
5 ml	sel	1 c. à thé
2 ml	poivre noir	1/2 c. à thé
2 ml	thym séché	1/2 c. à thé
1 kg	bœuf à ragoût, coupé en petits dés	2 lb
15 ml	huile végétale	1 c. à soupe
750 ml	bouillon de bœuf	3 tasses
200 ml	sauce tomate en conserve	7 oz
2	oignons, hachés	2
2	gousses d'ail, émincées	2
250 ml	carottes coupées en cubes (environ 2 moyennes)	1 tasse
250 ml	céleri haché (environ 2 branches)	1 tasse
2	pommes de terre, pelées et coupées en cubes	2
1	feuille de laurier	1

◔ **Le soir précédent**
Cette soupe peut être entièrement préparée de 12 à 24 heures à l'avance. Il suffit de suivre les directives de préparation et de réfrigérer le tout pendant la nuit dans la cocotte de la mijoteuse. Le lendemain, placez la cocotte dans la coque et poursuivez la cuisson tel qu'il est indiqué.

1. Dans un bol ou un sac de plastique, combiner la farine, le paprika, le sel, le poivre et le thym. Par petites quantités à la fois, bien enfariner les cubes de bœuf. Mettre dans une assiette. Dans un grand poêlon, faire chauffer la moitié de l'huile à feu moyen-élevé. Faire dorer le bœuf par petites quantités à la fois en ajoutant de l'huile au besoin. Avec une cuiller à égoutter, mettre le bœuf dans la mijoteuse.

2. Ajouter le bouillon, la sauce tomate, les oignons, l'ail, les carottes, le céleri, les pommes de terre et la feuille de laurier dans la mijoteuse. Mettre le couvercle et laisser cuire à basse température de 8 à 10 heures ou à haute température de 4 à 6 heures jusqu'à ce que les légumes soient tendres. Retirer et jeter la feuille de laurier avant de servir.

Soupe aux haricots noirs

6 À 8 PORTIONS

Cette soupe style bistrot est beaucoup plus facile à préparer qu'un cassoulet traditionnel mais y ressemble beaucoup en fait de saveur.

Trucs

- Faites de cette soupe un repas en l'accompagnant d'une salade, d'une baguette de pain et de vin blanc sec bien froid.
- Les jarrets de porc fumés se trouvent facilement dans la plupart des supermarchés et chez les bouchers et sont excellents en soupes et en ragoûts. Le jarret est une partie de la patte du porc. Si vous ne pouvez en trouver, utilisez un os de jambon encore recouvert de viande à la place.

1	oignon moyen, coupé en dés	1
3	gousses d'ail, émincées	3
1	jarret de porc fumé ou un os de jambon avec de la viande d'environ 1 kg (2 lb), peau enlevée	1
1,5 litre	eau	6 tasses
5 ml	cumin moulu	1 c. à thé
5 ml	origan séché	1 c. à thé
1	feuille de laurier	1
5 ml	sel	1 c. à thé
2 ml	poivre noir	1/2 c. à thé
550 ml	haricots noirs en conserve, ou secs, trempés et cuits, rincés et égouttés	19 oz
500 g	saucisses italiennes épicées, dorées au poêlon et coupées en morceaux de 2,5 cm (1 po)	1 lb
1	poivron rouge, épépiné et coupé en dés	1
25 ml	persil frais, haché	2 c. à soupe
	OU	
15 ml	persil séché	1 c. à soupe
15 ml	xérès sec	1 c. à soupe
15 ml	cassonade	1 c. à soupe
10 ml	jus de citron	2 c. à thé
	Crème sure (crème aigre)	

Truc

▪ Vous pouvez utiliser le bouillon de cuisson et la viande qui reste de la recette Soc roulé à la mijoteuse (voir recette, page 164). Remplacez simplement le 1,25 litre (5 tasses) de liquide de cuisson par de l'eau et le jarret fumé par 500 ml (2 tasses) de viande. N'ajoutez pas la viande à l'étape 1, mais plutôt une fois que les haricots ont été réduits en purée.

☾ Le soir précédent

Cette soupe peut être préparée partiellement de 12 à 24 heures à l'avance. Préparez les ingrédients tel qu'il est indiqué et réfrigérez le tout pendant la nuit dans la cocotte. Le lendemain, placez-la dans la coque et faites cuire tel qu'il est indiqué.

1. Mettre dans la mijoteuse l'oignon, l'ail, le jarret de porc fumé, l'eau, le cumin, l'origan, la feuille de laurier, le sel, le poivre et les haricots noirs ; bien remuer.
2. Mettre le couvercle et laisser cuire à basse température de 8 à 10 heures ou à haute température de 4 à 6 heures, jusqu'à ce que la viande soit tendre. Retirer doucement le jarret de porc. Déchiqueter la viande et réserver. Retirer et jeter la feuille de laurier. Verser 250 ml (1 tasse) du mélange de haricots cuits dans le robot culinaire ou le mélangeur et réduire en purée lisse. Remettre dans la mijoteuse avec la viande déchiquetée.
3. Ajouter les saucisses cuites, le poivron rouge, le persil, le xérès, la cassonade et le jus de citron. Remettre le couvercle et laisser cuire à haute température pendant 1 heure. Verser la soupe à la louche dans des bols individuels et servir garnie d'une bonne cuillerée de crème sure.

Soupe au piment des Antilles

4 à 6 PORTIONS

Trucs

- Cette soupe délectable, presque un repas en soi, rappelle les Antilles françaises. Faites-en le centre d'attraction d'une fête «anti-cafard de l'hiver»; invitez des amis, faites jouer de la musique calypso et servez-leur quelques cocktails exotiques avant de leur servir la soupe.
- Les piments Scotch Bonnet sont offerts dans les supermarchés où on vend des produits des Antilles. Ils sont, semblerait-il, les piments les plus épicés du monde — veillez donc à porter des gants lorsque vous les hachez et les épépinez.
- Si la soupe est prête avant que vous le soyez, réglez la mijoteuse à basse température. La soupe se gardera bien chaude sans trop cuire.

15 ml	huile végétale	1 c. à soupe
1 kg	bœuf à ragoût, coupé en cubes de 2,5 cm (1 po)	2 lb
1	piment Scotch Bonnet, épépiné et haché finement ou 5ml (1 c. à thé) de sauce aux piments rouges forte	1
4	gousses d'ail, émincées	4
3	patates douces, pelées et coupées en cubes de 2,5 cm (1 po)	3
2	oignons, hachés finement	2
1 litre	bouillon de bœuf	4 tasses
250 ml	eau	1 tasse
50 ml	concentré de tomates	1/4 de tasse
5 ml	thym séché	1 c. à thé
5 ml	sel	1 c. à thé
2 ml	poivre noir	1/2 c. à thé
1	poivron rouge, coupé en cubes	1
1	poivron vert, coupé en cubes	1

Le soir précédent

Cette soupe peut être entièrement préparée de 12 à 24 heures à l'avance (mais sans ajouter le piment rouge, si vous l'utilisez). Suivez les directives de préparation et réfrigérez toute la nuit dans la cocotte. Le lendemain, déposez la cocotte dans la coque et faites cuire tel qu'il est indiqué.

1. Dans un grand poêlon à revêtement antiadhésif, faire chauffer l'huile sur feu moyen-élevé. Ajouter les cubes de bœuf et le piment Scotch Bonnet, et faire dorer le bœuf sur tous les côtés. (Si de la sauce aux piments rouges forte est utilisée, l'ajouter à l'étape 4). À l'aide d'une cuiller à égoutter, mettre la viande et le piment dans la mijoteuse.

2. Ajouter l'ail, les patates douces, les oignons, le bouillon, l'eau, le concentré de tomates, le thym, le sel et le poivre dans la mijoteuse ; remuer pour bien mélanger.

3. Mettre le couvercle et laisser cuire à basse température de 8 à 10 heures ou à haute température de 4 à 6 heures, jusqu'à ce que les légumes soient tendres et que la soupe bouillonne.

4. Ajouter les poivrons rouge et vert et, si utilisée, la sauce aux piments rouges forte ; bien mélanger. Mettre le couvercle et laisser cuire à haute température de 20 à 25 minutes avant de servir.

Bisque aux carottes et à l'orange

(Voir photo, p. 64)

4 PORTIONS

Cette soupe est une excellente entrée pour un repas élégant. Elle peut également être servie comme plat principal.

Trucs
- Cette recette peut facilement être doublée, mais ne modifiez pas la quantité de zeste d'orange — il masquerait trop les autres saveurs.
- Pour extraire le plus de jus possible des oranges, utilisez des fruits qui sont à température de la pièce. Le jus peut être congelé dans un plateau à glaçons et les cubes peuvent être ensuite conservés dans des sacs de plastique refermables pour une utilisation ultérieure.
- Pour obtenir le zeste d'une orange : servez-vous du côté fin d'une râpe à fromage en veillant à ne pas racler la peau blanche dessous. Les zesteurs sont peu coûteux et vendus dans les cuisineries.

1	oignon moyen, haché finement	1
1,25 litre	carottes, coupées en morceaux de 2,5 cm (1 po)	5 tasses
750 ml	bouillon de poulet	3 tasses
	Jus d'une orange	
	Zeste d'une orange	
125 ml	crème à fouetter (crème riche)	1/2 tasse
	Sel et poivre au goût	

1. Mettre dans la mijoteuse l'oignon, les carottes, le bouillon et le jus d'orange. Mettre le couvercle et faire cuire à basse température de 10 à 12 heures ou à haute température de 4 à 6 heures, jusqu'à ce que les carottes cèdent sous les dents d'une fourchette.

2. Égoutter les légumes ; réserver le bouillon. Dans un mélangeur ou un robot culinaire, réduire en purée les légumes jusqu'à l'obtention d'une crème onctueuse. Mettre le tout dans la mijoteuse et ajouter le zeste et la crème. Saler et poivrer au goût. Faire réchauffer à haute température pendant 15 minutes.

Bouillon de dinde ou de poulet tout simple

DONNE 1,5 LITRE (6 TASSES)

Rien n'est plus facile à faire que ce bouillon maison. Mettez tous les ingrédients dans la mijoteuse et laissez mijoter pendant la nuit. Vous aurez le bouillon idéal pour faire une soupe exceptionnelle!

Trucs

- Vous pouvez vous servir de ce bouillon pour différentes soupes et recettes du présent livre. Elle convient particulièrement bien à la Soupe au poulet et aux légumes d'automne (voir recette, page 69) et à la Soupe à la dinde (voir recette, page 55).
- Vous pouvez également faire ce bouillon en utilisant la carcasse d'un poulet ou d'une dinde cuite. Retirez toute la viande d'abord et réfrigérez-la jusqu'à ce que vous soyez prêt à l'utiliser. Si vous n'avez pas le temps de faire du bouillon immédiatement, ne vous inquiétez pas — la carcasse peut être congelée pendant 4 mois.

1,5 kg	cuisses de poulet ou 2 cuisses de dinde, avec la peau	3 lb
1	oignon, coupé en quartiers	1
1	carotte	1
1	branche de céleri (avec les feuilles)	1
8 à 10	grains de poivre entiers	8 à 10
1	feuille de laurier	1
10 ml	sel	2 c. à thé
1,5 à 2 litres	eau	6 à 10 tasses

1. Placer les morceaux de poulet, l'oignon, la carotte, la branche de céleri, les grains de poivre, la feuille de laurier et le sel dans la mijoteuse; couvrir d'eau. Mettre le couvercle et laisser cuire à basse température de 8 à 10 heures ou à haute température de 4 à 6 heures.

2. Passer le bouillon à travers une passoire tapissée d'une mousseline dans un grand bol, en pressant les légumes cuits pour en extraire autant de liquide que possible. Jeter les légumes, et réserver le poulet.

3. Couvrir et réfrigérer le bouillon pendant la nuit; retirer le gras qui se trouve à la surface. Enlever la viande des os de la volaille et jeter les os et la peau. Réfrigérer le bouillon et le poulet jusqu'à 3 jours ou congeler jusqu'à 4 mois.

Soupe au pepperoni et au fromage

4 À 6 PORTIONS

Truc

- Si vos enfants, comme les miens, n'aiment pas les gros morceaux d'aliments, réduisez les tomates en purée avant de les ajouter à la mijoteuse.

Variante

Vous pouvez remplacer le pepperoni de cette recette par votre viande préférée. Essayez de la saucisse italienne douce cuite, du jambon ou de la viande hachée cuite.

🕯 Le soir précédent

Les ingrédients de cette soupe peuvent être réunis de 12 à 24 heures à l'avance (en omettant le pepperoni, le poivron vert et la mozzarella). Préparez tous les ingrédients tel qu'il est indiqué et mettez-les dans la mijoteuse ; réfrigérez pendant la nuit. Le lendemain, insérez la cocotte dans la coque et faites cuire tel qu'il est indiqué.

1	oignon, haché	1
250 ml	champignons tranchés (environ 5 ou 6 moyens)	1 tasse
800 ml	tomates étuvées à l'italienne, avec leur jus	28 oz
250 ml	bouillon de bœuf	1 tasse
250 ml	pepperoni tranché mince	1 tasse
1	poivron vert moyen, haché	1
125 ml	croûtons	1/2 tasse
250 ml	mozzarella, râpée	1 tasse

1. Mettre dans la mijoteuse l'oignon, les champignons, les tomates et le bouillon ; bien mélanger.

2. Mettre le couvercle et laisser cuire à basse température de 5 à 6 heures ou à haute température de 3 à 4 heures. Ajouter le pepperoni et le poivron vert pendant les 30 dernières minutes de cuisson.

3. Répartir également les croûtons entre les bols. Verser à la louche la soupe sur les croûtons et garnir de mozzarella râpée.

Photos: Mélange de fruits secs hivernal, p. 43 et Réchauffe-cœur épicé aux canneberges (airelles), p. 48

Bisque aux carottes et à l'orange, p. 62

Crème de poulet au cari

4 À 6 PORTIONS

1	gros oignon, haché	1
2	carottes, hachées	2
20 ml	cari	1 1/2 c. à soupe
1,25 litre	bouillon de poulet	5 tasses
50 ml	persil	1/4 de tasse
1	poulet d'environ 1 à 1,5 kg (2 à 3 lb), coupé en quartiers	1
125 ml	riz à grain long	1/2 tasse
250 ml	crème simple (11,5 %) ou crème légère (5 %)	1 tasse
250 ml	pois surgelés	1 tasse
	Sel et poivre au goût	

À préparer à l'avance

Cette soupe-repas peut être préparée à l'avance jusqu'à l'ajout des pois et de la crème. En fait, la laisser reposer au réfrigérateur pendant 24 heures permet aux saveurs de se développer pleinement. Faire réchauffer à haute température de 2 à 3 heures ou à basse température de 4 à 6 heures. Ajouter la crème et les pois 15 minutes avant de servir.

La purée peut également être congelée. Préparer la purée de soupe tel qu'il est indiqué et la congeler jusqu'à 1 mois. Des dés de poulet cuit peuvent également être congelés jusqu'à 1 mois. Réchauffer la purée décongelée dans la mijoteuse à haute température de 2 à 3 heures ou à basse température de 4 à 6 heures. Ajouter la crème, les dés de poulet décongelés et les pois. Faire chauffer à basse température de 15 à 20 minutes.

1. Mettre dans la mijoteuse l'oignon, les carottes, le cari, le bouillon, le persil, les morceaux de poulet et le riz ; bien mélanger. Mettre le couvercle et laisser cuire à basse température de 8 à 10 heures ou à haute température de 4 à 6 heures.

2. À l'aide d'une cuiller à égoutter, retirer doucement les morceaux de poulet du bouillon. Réserver et laisser tiédir légèrement. Enlever la viande des os ; couper le poulet en dés et réserver. Jeter les os et la peau.

3. Mettre les légumes et le bouillon dans un mélangeur ou un robot culinaire. Réduire en purée, par petites quantités à la fois, jusqu'à l'obtention d'une texture lisse ; remettre dans la mijoteuse. Ajouter la crème, les dés de poulet réservés et les pois. Rectifier l'assaisonnement, ajoutant plus de cari si désiré. Faire chauffer à basse température de 15 à 20 minutes. Saler et poivrer au goût.

Chaudrée de maïs avec bacon et cheddar

8 À 10 PORTIONS

La mijoteuse n'est pas réservée uniquement aux recettes d'hiver. J'aime beaucoup faire cette recette à la saison de la récolte du maïs à la fin juillet et en août.

Trucs

- Pour utiliser du maïs frais dans cette recette, retirez l'enveloppe de l'épi et placez-le à la verticale sur une surface plane. Servez-vous d'un couteau bien affûté pour couper les grains de maïs de l'épi.
- Servez cette chaudrée accompagnée de pain multigrains ou de bagels, et de limonade bien glacée.
- Pour une variante végétarienne, omettez le bacon et mettez tous les ingrédients dans la mijoteuse. Faites cuire tel qu'il est indiqué.

4	tranches de bacon, hachées	4
2	oignons moyens, hachés	2
2	branches de céleri, hachées	2
2	pommes de terre moyennes, hachées	2
1 litre	grains de maïs, frais ou surgelés	4 tasses
1 litre	bouillon de poulet	4 tasses
1	feuille de laurier	1
5 ml	sel	1 c. à thé
2 ml	poivre noir	1/2 c. à thé
25 ml	beurre ou margarine	2 c. à soupe
25 ml	farine	2 c. à soupe
385 ml	lait concentré ou crème à fouetter (crème riche)	1 1/2 tasse
250 ml	cheddar, râpé	1 tasse
	Cheddar, pour garnir	
	Persil frais, haché	

1. Dans un grand poêlon à revêtement antiadhésif à feu moyen, faire cuire le bacon, les oignons et le céleri pendant 5 minutes ou jusqu'à ce que les oignons soient translucides. À l'aide d'une cuiller à égoutter, mettre le mélange dans la mijoteuse.

2. Ajouter les pommes de terre, le maïs, le bouillon, la feuille de laurier, le sel et le poivre à la mijoteuse ; bien mélanger. Mettre le couvercle et faire cuire à basse température de 8 à 10 heures ou à haute température de 4 à 6 heures, jusqu'à ce que les légumes soient tendres et que la soupe bouillonne. Retirer la feuille de laurier et la jeter.

À préparer à l'avance

Cette soupe peut être préparée et cuite jusqu'à l'étape consistant à l'épaissir. La réfrigérer jusqu'à 3 jours ou la congeler pendant un maximum de 3 mois. Pour réchauffer, décongeler avant de la mettre dans la mijoteuse avec 125 ml (1/2 tasse) d'eau. Mettre le couvercle et laisser réchauffer à haute température de 2 à 3 heures ou à basse température de 4 à 6 heures. Poursuivre tel qu'il est indiqué à partir de l'étape 3.

3. Dans une casserole à feu moyen, faire fondre le beurre. Ajouter la farine et remuer pour obtenir une pâte lisse. Ajouter lentement le lait, en fouettant jusqu'à homogénéité. Porter le mélange à ébullition en fouettant sans arrêt jusqu'à épaississement. Retirer du feu et incorporer le fromage jusqu'à ce qu'il soit entièrement fondu. Ajouter graduellement en remuant la béchamel à la mijoteuse. Mettre le couvercle et faire cuire à haute température de 20 à 30 minutes. Servir garni de cheddar supplémentaire et de persil frais, haché.

Soupe épicée aux lentilles et aux légumes

4 À 6 PORTIONS

Ne craignez pas que la soupe soit trop épicée : son goût agréable et légèrement sucré vous réchauffera de la tête aux pieds.

Trucs
- Servez-la accompagnée de pitas au blé entier grillés et d'une bonne cuillerée de yogourt nature.
- Les lentilles rouges sont offertes en conserve, mais les lentilles séchées cuisent rapidement et sont tellement plus savoureuses (et moins chères). Il est important de veiller à trier les lentilles avant de les passer sous l'eau.

☾ Le soir précédent
Cette soupe peut être préparée de 12 à 24 heures à l'avance. Suivez les directives de préparation et réfrigérez dans la cocotte toute la nuit. Le lendemain, insérez la cocotte dans la coque et faites cuire tel qu'il est indiqué.

4	carottes moyennes, coupées en dés	4
2	branches de céleri, coupées en dés	2
1	oignon moyen-gros, coupé en dés	1
1	pomme Granny Smith, pelée, cœur enlevé et coupée en dés	1
15 ml	gingembre frais, râpé	1 c. à soupe
1	grosse gousse d'ail, émincée	1
15 ml	cari	1 c. à soupe
4 ml	cumin moulu ou en graines	3/4 de c. à thé
1 litre	bouillon de poulet	4 tasses
125 ml	lentilles rouges séchées, rincées (voir *Trucs* ci-contre)	1/2 tasse
	Yogourt nature faible en gras	

1. Mettre dans la mijoteuse les carottes, le céleri, l'oignon, la pomme, le gingembre, l'ail, le cari, le cumin, le bouillon et les lentilles ; bien mélanger.
2. Mettre le couvercle et laisser cuire à basse température de 8 à 10 heures ou à haute température de 4 à 6 heures, jusqu'à ce que la soupe ait épaissi et bouillonne.
3. Verser le mélange dans un mélangeur ou un robot culinaire. Réduire en purée lisse par portions. Verser dans la mijoteuse et garder au chaud. Servir la soupe à la louche dans des bols individuels et garnir d'une bonne cuillerée de yogourt.

Soupe au poulet et aux légumes d'automne

6 À 8 PORTIONS

Cette soupe fait toujours fureur en automne, lorsque les légumes-racines sont en saison. Sa saveur exceptionnelle fait que tous en redemandent.

Truc

- Si vous manquez de temps pour faire votre propre bouillon de poulet, servez-vous de bouillon en conserve. Évitez cependant d'utiliser les poudres ou les cubes — ils sont extrêmement salés et ne donnent pas autant de saveur.

6 tasses	bouillon de dinde ou poulet (voir recette, page 63)	1,5 litre
	OU	
850 ml	bouillon de poulet en conserve, dilué avec la même quantité d'eau	30 oz
3	poireaux (partie blanche seulement), hachés	3
4	carottes, tranchées	4
2	branches de céleri, hachées finement	2
2	panais, coupés en dés	2
500 ml	poulet cuit, coupé en dés	2 tasses
50 ml	persil frais, haché	1/4 de tasse
2 ml	paprika	1/2 c. à thé
500 ml	nouilles aux œufs cuites	2 tasses
	Sel et poivre au goût	

1. Mettre dans la mijoteuse le bouillon, les poireaux, les carottes, le céleri, les panais, le poulet, le persil et le paprika.
2. Mettre le couvercle et laisser cuire à basse température de 8 à 10 heures ou à haute température de 4 à 6 heures jusqu'à ce que les légumes soient tendres et que la soupe bouillonne.
3. Ajouter les nouilles cuites à la mijoteuse ; bien remuer. Saler et poivrer au goût.

Bouillon de légumes savoureux avec boulettes

4 À 6 PORTIONS

Cette soupe est idéale pour servir à ses invités à la fin d'une longue journée d'activités hivernales.

Trucs

- S'il vous faut quelques portions de plus, il vous suffit d'ajouter des pâtes alimentaires telles que fusilli ou rotini.
- Servez la soupe accompagnée de foccacia ou de tranches de pain italien épaisses pour absorber la sauce.
- J'aime bien préparer une quantité supplémentaire des boulettes de cette recette ; elles sont excellentes à avoir sous la main comme amuse-gueule de dernière minute ou pour des sauces pour les pâtes. Elles se congèlent bien et se conservent jusqu'à 3 mois au congélateur.

	Préchauffer le four à 180 °C (350 °F)	
	Tôle à biscuits, recouverte de papier d'aluminium	
500 g	bœuf haché maigre	1 lb
125 ml	chapelure fine	1/2 tasse
15 ml	persil frais, haché	1 c. à soupe
5 ml	sel	1 c. à thé
1 ml	poivre noir, moulu	1/4 de c. à thé
1	œuf, légèrement battu	1
2	oignons moyens, hachés finement	2
2	carottes moyennes, hachées finement	2
1	branche de céleri, hachée finement	1
550 ml	tomates italiennes en conserve, avec leur jus	19 oz
500 ml	bouillon de bœuf	2 tasses
1 ml	origan séché	1/4 de c. à thé
1 ml	basilic séché	1/4 de c. à thé
1	feuille de laurier	1
	Parmesan	

1. Mettre dans la mijoteuse le bœuf haché, la chapelure, le persil, le sel, le poivre et l'œuf ; bien mélanger. Former avec les mains des boulettes de 1 cm (1/2 po). Les disposer sur la tôle à biscuits préparée et faire cuire au four préchauffé pendant 20 minutes. Réserver et laisser tiédir.
2. Mettre les oignons, les carottes, le céleri, les tomates, le bouillon, l'origan, le basilic et la feuille de laurier dans la mijoteuse. Ajouter les boulettes cuites.

3. Mettre le couvercle et laisser cuire à basse température de 8 à 10 heures ou à haute température de 4 à 6 heures jusqu'à ce que le tout soit chaud et bouillonnant. Retirer la feuille de laurier et la jeter. Remplir à la louche des bols individuels et garnir de parmesan râpé.

Chaudrée de palourdes de la Nouvelle-Angleterre

6 À 8 PORTIONS

Lors d'un récent voyage en Nouvelle-Angleterre, j'ai goûté à la chaudrée de palourdes de tous les restaurants où j'ai mangé. Chacun se réclamait d'avoir «la meilleure» de toutes — elles étaient en effet très bonnes. Je pense que celle-ci s'y compare très avantageusement.

6	tranches de bacon, hachées finement	6
1	oignon, haché finement	1
3	branches de céleri, hachées finement	3
300 g	petites palourdes en conserve	10 oz
250 ml	eau	1 tasse
750 ml	pommes de terre pelées, coupées en dés	3 tasses
5 ml	sauce Worcestershire	1 c. à thé
2 ml	sel	1/2 c. à thé
1 ml	poivre noir	1/4 de c. à thé
1	feuille de laurier	1
50 ml	farine	1/4 de tasse
250 ml	crème légère (5 %) ou crème simple (11,5 %)	2 tasses
	OU	
385 ml	lait concentré	13 oz
1/2	poivron vert, haché finement	1/2

1. Dans un grand poêlon à revêtement antiadhésif, faire revenir le bacon, l'oignon et le céleri 5 minutes ou jusqu'à ce que les légumes soient amollis et l'oignon translucide. À l'aide d'une cuiller à égoutter, mettre le mélange dans la mijoteuse.
2. Passer le jus de palourdes dans la mijoteuse; réserver les palourdes entières. Ajouter l'eau, les pommes de terre, la sauce Worcestershire, le sel, le poivre et la feuille de laurier.

Trucs

- N'ajouter les palourdes qu'à la toute fin, sinon elles risquent de devenir caoutchouteuses si elles cuisent trop longtemps.
- Pour une variante végétarienne, omettez le bacon. Ajoutez l'oignon, le céleri et le poivron vert directement dans la mijoteuse. Poursuivez la cuisson tel qu'il est indiqué.
- Pour éviter la formation de grumeaux dans les soupes et les ragoûts, mettez le liquide et la farine dans un pot muni d'un couvercle étanche. Agitez bien avant de verser dans le bouillon chaud.

3. Mettre le couvercle et laisser cuire à haute température de 3 à 4 heures ou à basse température de 6 à 10 heures, jusqu'à ce que les pommes de terre soient tendres et que la soupe bouillonne. Retirer la feuille de laurier et la jeter.

4. Mettre dans la mijoteuse la farine et 50 ml (1/4 de tasse) de crème; bien mélanger pour dissoudre les grumeaux. Ajouter à la mijoteuse avec les palourdes entières, le poivron vert et le reste de crème. Mettre le couvercle et laisser cuire à haute température de 25 à 30 minutes ou jusqu'à ce que la chaudrée ait épaissi.

Soupe de pommes de terre et poireaux au stilton

4 À 6 PORTIONS

Voici une soupe classique avec une touche originale. Le stilton est l'un des fromages préférés de ma famille depuis des années!

Trucs

- Servez cette soupe accompagnée de stilton et d'une miche de pain.
- Le bleu ou le roquefort peuvent remplacer le stilton, mais la saveur ne sera pas la même.
- Le poireau est composé d'une partie blanche épaisse et de feuilles vertes larges qui le font ressembler à un immense oignon vert. Sa saveur est douce et légèrement sucrée; il est, à mon avis, un ingrédient indispensable de plusieurs soupes.
- Les poireaux doivent être nettoyés soigneusement parce qu'ils contiennent beaucoup de sable. Retirez presque toute la partie verte et tranchez la partie blanche en deux sur la longueur. Rincez bien sous l'eau froide et laissez égoutter dans une passoire.

25 ml	beurre ou margarine	2 c. à soupe
3	poireaux (partie blanche seulement), parés, bien rincés et tranchés	3
1	oignon moyen, haché	1
4	pommes de terre moyennes, pelées et hachées	4
1,5 litre	bouillon de poulet	6 tasses
5 ml	sel	1 c. à thé
2 ml	poivre noir	1/2 c. à thé
Pincée	muscade moulue	Pincée
250 ml	crème à fouetter (crème riche)	1 tasse
	Stilton émietté	
	Sel et poivre au goût	

1. Dans une grande casserole, faire fondre le beurre à feu moyen-élevé. Ajouter les poireaux et l'oignon. Mettre le couvercle, réduire le feu à moyen-doux et faire cuire 10 minutes ou jusqu'à ce qu'ils soient tendres. Mettre dans la mijoteuse.

2. Ajouter les pommes de terre, le bouillon, le sel, le poivre et la muscade. Mettre le couvercle et faire cuire à basse température de 8 à 10 heures ou à haute température de 6 à 8 heures, jusqu'à ce que les légumes soient tendres.

3. Verser la soupe dans le mélangeur ou le robot culinaire. Par petites quantités à la fois, réduire en purée les légumes jusqu'à l'obtention d'une crème lisse. Saler et poivrer au goût. Remettre la soupe dans la mijoteuse; incorporer la crème en brassant. Mettre le couvercle et

À préparer à l'avance

Cette soupe peut être préparée à l'avance jusqu'au moment d'ajouter la crème. Elle peut être réfrigérée jusqu'à 2 jours ou congelée jusqu'à 3 mois. Pour réchauffer, ajouter 250 ml (1 tasse) d'eau et faire chauffer jusqu'à ce qu'elle soit bien chaude.

laisser cuire à haute température de 15 à 20 minutes ou jusqu'à ce que la soupe soit bien chaude. Émietter du fromage dans le fond des bols de service individuels et les remplir à la louche de soupe. Ajouter du stilton supplémentaire si désiré. Saler et poivrer au goût.

Soupe aux tomates et aux poivrons rouges grillés

4 À 6 PORTIONS

Lorsque je me promène au marché des fermiers locaux en août et en septembre, il me vient une envie irrésistible de faire autant de recettes que je peux à partir de l'abondance de tomates mûres et de poivrons rouges qui sont étalés. Celle-ci est l'une de mes préférées.

	Préchauffer le gril	
	Tôle à biscuits	
4	gros poivrons rouges	4
5	grosses tomates, pelées, épépinées et hachées	5
	OU	
800 ml	tomates italiennes en conserve, avec leur jus	28 oz
1	oignon moyen, haché finement	1
1	branche de céleri, hachée finement	1
2	feuilles de basilic frais	2
	OU	
2 ml	basilic séché	1/2 c. à thé
500 ml	bouillon de poulet	2 tasses
15 ml	concentré de tomates	1 c. à soupe
10 ml	sucre	2 c. à thé
	Jus d'un demi-citron	
	Sel et poivre au goût	
	Basilic frais	
	Crème à fouetter (crème riche) (facultatif)	

1. Couper les poivrons rouges en deux et les épépiner. Les déposer côté coupé sur la tôle à biscuit. Les faire griller jusqu'à ce que les peaux soient noircies et gonflées. Retirer du four et les placer dans un sac de papier pour leur permettre de dégager de la vapeur. Une fois refroidis, les débarrasser de leur peau ; couper les poivrons en gros morceaux.

Trucs

- Lorsqu'ils sont en saison, les poivrons rouges ne sont pas chers. J'en fais donc griller plusieurs que je conserve au congélateur pour les utiliser pendant les mois d'hiver.
- Si vous cuisinez cette recette pendant l'hiver, utilisez des tomates mûries sur pied pour obtenir le maximum de saveur. Ajoutez 15 ml (1 c. à soupe) de concentré de tomates une fois le mélange réduit en purée.
- Pour aider les tomates à mûrir, placez-les dans un sac de papier et laissez-les sur le comptoir à la température de la pièce. Ne mettez jamais les tomates au réfrigérateur; le froid en altère la saveur délicate.

2. Mettre les poivrons dans la mijoteuse. Ajouter les tomates, l'oignon, le céleri, le basilic, le bouillon et le concentré de tomates. Mettre le couvercle et laisser cuire à basse température de 4 à 6 heures ou à haute température de 2 à 3 heures. Réduire en purée au mélangeur ou au robot culinaire.

3. Verser la purée dans la mijoteuse. Ajouter, en remuant, le sucre et le jus de citron; saler et poivrer au goût. Servir la soupe chaude ou réfrigérer et servir froide. Garnir de basilic frais, cisaillé. Pour obtenir une soupe plus riche, verser un filet de 15 à 25 ml (1 à 2 c. à soupe) de crème à fouetter dans la soupe avant de servir.

Soupe à la courge et aux pommes

4 À 6 PORTIONS

Trucs

- Cette recette peut aisément être doublée. De plus, elle se congèle bien.
- Ajoutez une petite touche décorative lors d'un repas de fête d'automne en évidant de petites citrouilles (potirons) de leurs graines et de leurs filaments. Versez de la soupe chaude dans chacune et servir.

Variante

Vous pouvez remplacer la courge par 800 ml (28 oz) de purée de citrouille (potiron) en conserve (pas la purée pour les tartes).

Le soir précédent

Les ingrédients de cette soupe peuvent être réunis de 12 à 24 heures à l'avance (en omettant le fromage). Préparez tous les ingrédients tel qu'il est indiqué et mettez-les dans la mijoteuse ; réfrigérez pendant la nuit. Le lendemain, insérez la cocotte dans la coque et faites cuire tel qu'il est indiqué.

1	courge musquée d'environ 1,5 kg (3 lb), pelée et coupée en dés de 2,5 cm (1 po)	1
2	pommes, pelées, cœur enlevé et hachées	2
1	oignon moyen, haché	1
750 ml	bouillon de poulet	3 tasses
250 ml	jus de pomme	1 tasse
2 ml	marjolaine séchée	1/2 c. à thé
2 ml	thym séché	1/2 c. à thé
2 ml	sel	1/2 c. à thé
2 ml	poivre noir	1/2 c. à thé
125 ml	fromage suisse, râpé	1/2 tasse

1. Mettre dans la mijoteuse la courge, les pommes, l'oignon, le bouillon, le jus, la marjolaine, le thym, le sel et le poivre.

2. Mettre le couvercle et faire cuire à basse température de 8 à 10 heures ou à haute température de 4 à 6 heures, jusqu'à ce que la courge soit tendre.

3. Passer la soupe dans une passoire et réserver le bouillon. Mettre le mélange dans un mélangeur ou un robot culinaire. Ajouter 250 ml (1 tasse) du liquide réservé et réduire en purée.

4. Remettre la soupe dans la mijoteuse avec le reste du bouillon. Saler et poivrer au goût. Remplir à la louche les bols et garnir chacun de fromage suisse râpé.

Soupe de haricots

4 À 6 PORTIONS

Truc

- Si vous n'arrivez pas à trouver un mélange préparé de 7 haricots, cherchez la variété sèche de ce mélange dans la section de produits en vrac de votre supermarché. (Voir page 82 pour la préparation des haricots secs.)
- Comme variante végétarienne, omettez la saucisse. Ajoutez 15 ml (1 c. à soupe) de poudre chili et 15 ml (1 c. à soupe) d'ail haché, 2 ml (1/2 c. à thé) de flocons de poivrons rouges et augmentez la quantité d'assaisonnement italien à 15 ml (1 c. à soupe).

Le soir précédent

Les ingrédients de cette soupe peuvent être réunis de 12 à 24 heures à l'avance (sauf les zucchinis et le fromage). Préparez les ingrédients tel qu'il est indiqué dans la recette et mettez-les dans la cocotte de la mijoteuse. Le lendemain, déposez le plat dans la coque de la mijoteuse et faites cuire tel qu'il est indiqué.

500 g	saucisses italiennes douces, sans leur enveloppe	1 lb
800 ml	mélange de 7 haricots en pot, avec le liquide	28 oz
800 ml	tomates en conserve, coupées en cubes, avec leur jus	28 oz
4	carottes, pelées et coupées en dés	4
500 ml	bouillon de poulet	2 tasses
5 ml	assaisonnement italien séché	1 c. à thé
2	zucchinis, coupés en dés	2
	Parmesan râpé	
	Sel et poivre au goût	

1. Dans un poêlon sur feu moyen-élevé, faire dorer les saucisses en remuant pour bien les défaire. À l'aide d'une cuiller à égoutter, mettre dans la mijoteuse.
2. Ajouter le mélange de haricots avec le liquide, les tomates avec leur jus, les carottes, le bouillon et l'assaisonnement italien. Mettre le couvercle et laisser cuire à basse température de 8 à 10 heures ou à haute température de 4 à 6 heures jusqu'à ce que les légumes soient tendres. Ajouter les zucchinis et laisser cuire de 15 à 20 minutes de plus.
3. Remplir à la louche des bols individuels et garnir de parmesan râpé. Saler et poivrer au goût.

Soupe de pois cassés à la québécoise

6 À 8 PORTIONS

Trucs

- Accompagnez cette soupe de petits pains croûtés et d'une tasse de thé chaud ou d'un verre de vin blanc glacé.
- Les pois cassés sont très durs s'ils ne sont pas mis à tremper avant d'être ajoutés à la soupe. Ils peuvent être laissés à tremper pendant la nuit ou bouillis pendant 2 minutes et laissés à tremper pendant 1 heure.

🕯 Le soir précédent

Il est préférable de commencer la préparation de cette soupe de 12 à 24 heures à l'avance ; en fait, tous les ingrédients peuvent être réunis dans la cocotte et réfrigérés pendant la nuit. Le lendemain matin, placez la cocotte dans la coque et faites cuire tel qu'il est indiqué. Une soupe bien chaude vous accueillera à votre retour.

500 g	pois jaunes cassés	1 lb
250 g	jarret de porc fumé (sans peau)	1/2 lb
3	carottes moyennes, coupées en dés	3
1	grosse pomme de terre, pelée et coupée en cubes	1
1	branche de céleri, hachée finement	1
1	feuille de laurier	1
1 ml	thym	1/4 de c. à thé
1 ml	basilic	1/4 de c. à thé
1 ml	origan	1/4 de c. à thé
	Sel et poivre au goût	

1. Mettre les pois dans un bol et ajouter suffisamment d'eau froide pour les couvrir ; laisser à tremper pendant au moins 12 heures (ou mettre les pois dans une casserole, couvrir d'eau, porter à ébullition, retirer du feu et laisser reposer pendant 1 heure). Bien les rincer et les mettre dans la mijoteuse. Ajouter 1,75 litre (7 tasses) d'eau, le jarret de porc fumé, les carottes, la pomme de terre, le céleri, la feuille de laurier, le thym, le basilic et l'origan.

2. Mettre le couvercle et laisser cuire à basse température de 10 à 12 heures ou à haute température de 6 à 8 heures, jusqu'à ce que la soupe ait épaissi et bouillonne.

3. À l'aide d'une cuiller à égoutter, retirer doucement le jarret de porc de la soupe. Enlever la viande de l'os, couper en gros morceaux et remettre dans le plat. Retirer la feuille de laurier et la jeter. Saler et poivrer au goût et servir immédiatement.

Chilis
et haricots
81

Les haricots secs

Cuisiner des haricots secs nécessite plus de temps, mais c'est très économique et, selon bien des gens, cela donne de meilleurs résultats que les haricots en conserve. Lorsque vous utilisez des haricots secs, rappelez-vous qu'ils auront plus que doublé de volume une fois cuits. Cinq cent grammes de haricots secs (1 lb) donnent environ 1 à 1,25 litre (4 à 5 tasses) de haricots cuits. N'oubliez pas aussi que les haricots doivent être entièrement cuits avant qu'on leur ajoute du sucre ou des aliments acides comme de la mélasse ou des tomates (le sucre et l'acidité tendent à empêcher les haricots d'amollir).

La préparation des haricots secs

La transformation de légumineuses dures et sèches en haricots consommables nécessite quatre étapes : le nettoyage, le trempage, le rinçage et la cuisson. Faire tremper les haricots aide à remplacer l'eau qui est disparue pendant le processus de déshydratation ; ceci permet aussi d'accélérer le temps de cuisson. Le temps de cuisson des haricots (voir le tableau ci-dessous) dépend du type de mijoteuse ainsi que du type de haricots, de leur âge et de leur qualité, de l'altitude à laquelle ils seront cuits et si c'est de l'eau dure ou douce qui sera utilisée pour les cuire. La meilleure façon de déterminer s'ils sont cuits est de les goûter. Les haricots cuits n'ont pas un goût pâteux, cèdent sous les dents d'une fourchette et sont faciles à écraser entre les doigts.

Passez d'abord les haricots au crible pour enlever tous ceux qui sont cassés ou craqués. Placez-les ensuite dans une passoire ou un tamis et rincez-les bien sous l'eau froide. Dans une casserole d'eau bouillante (en quantité suffisante pour les couvrir), faites-les mijoter pendant 10 minutes ;

égouttez-les et rincez-les bien. Mettez les haricots cuits dans la mijoteuse et couvrez-les de 1,5 litre (6 tasses) d'eau fraîche par 500 g (1 lb) de haricots. Mettez le couvercle et laissez cuire à basse température environ 12 heures. Jetez l'eau de cuisson si la recette n'exige pas qu'elle soit conservée. Les haricots sont maintenant prêts à être utilisés dans une recette. (Note : laissez les haricots cuire dans la mijoteuse pendant la nuit et ils seront prêts à être utilisés au petit matin.)

Type de haricot	Temps de cuisson suggéré
Haricots rouges	10 à 12 heures à basse température
Haricots rouges pâles	10 à 12 heures à basse température
Haricots blancs	10 à 12 heures à basse température
Petits haricots blancs	10 à 12 heures à basse température
Haricots noirs	8 à 10 heures à basse température
Haricots romains ou canneberges (airelles)	8 à 10 heures à basse température
Pois chiches	10 à 12 heures à basse température

La conservation des haricots cuits

Les haricots cuits se conservent bien au réfrigérateur dans des sacs de plastique refermables ou des contenants hermétiques jusqu'à un maximum de 5 jours. Les haricots cuits peuvent également être conservés au congélateur jusqu'à 6 mois. Pour faciliter la préparation de repas, il est conseillé de les empaqueter en portions de 250 ou 500 ml (1 ou 2 tasses) — les quantités le plus souvent requises dans les recettes.

Les haricots en conserve

Pratiques, les haricots en conserve peuvent remplacer tous les haricots secs et cuits requis dans les recettes du présent livre. Une conserve d'environ 550 ml (19 oz) de n'importe quel type de haricot peut remplacer

500 ml (2 tasses) de haricots cuits. Les haricots en conserve sont cuits et prêts à être utilisés dans les recettes. Avant de vous en servir dans une recette, veillez à bien les rincer sous l'eau froide afin d'éliminer la saumure. Les haricots en conserve devraient être gardés dans un endroit frais et sec et, pour assurer une saveur et une texture optimales, devraient être utilisés à l'intérieur d'une année de l'achat.

Chili doré

4 À 6 PORTIONS

Fait à partir de porc, de dinde ou de poulet haché, ce plat est de couleur plus pâle que le chili habituel.

Truc
- Les piments verts en conserve se trouvent dans la section des aliments mexicains des supermarchés. Ils se vendent hachés ou entiers.

Variante
Préparez un deuxième repas à partir de vos Haricots au four à la mélasse (voir recette, page 110), en les utilisant dans cette recette au lieu des haricots en conserve.

Le soir précédent
Les ingrédients de ce chili peuvent être préparés 12 heures à l'avance. Suivez les directives de préparation et réfrigérez le tout dans la cocotte pendant la nuit. Le lendemain, placez la cocotte dans la coque et faites cuire tel qu'il est indiqué.

15 ml	huile végétale	1 c. à soupe
750 g	porc, dinde ou poulet, haché	1 1/2 lb
1	oignon moyen, haché finement	1
2	gousses d'ail, émincées	2
15 ml	poudre chili	1 c. à soupe
2 ml	cumin moulu	1/2 c. à thé
800 ml	haricots en sauce tomate en conserve	28 oz
250 ml	bouillon de poulet	1 tasse
125 ml	piments verts hachés en conserve avec le liquide	4 1/2 oz
	Sel et poivre au goût	

1. Dans un poêlon à revêtement antiadhésif, faire chauffer l'huile à feu moyen-élevé. Ajouter le porc, l'oignon et l'ail, et faire cuire jusqu'à ce que la viande ne soit plus rosée et que l'oignon soit translucide. Ajouter la poudre chili et le cumin; faire cuire 1 minute de plus. À l'aide d'une cuiller à égoutter, mettre le mélange dans la mijoteuse.
2. Ajouter les haricots, le bouillon et les piments verts (avec leur liquide); bien mélanger. Mettre le couvercle et laisser cuire à basse température de 6 à 8 heures ou à haute température de 3 à 4 heures, jusqu'à ce que le chili soit chaud et bouillonnant. Saler et poivrer au goût.

Chili con carne

6 À 8 PORTIONS

Un ami m'a confié le secret de son chili divin : la poudre de cacao. Les chefs mexicains s'en servent depuis des siècles lorsqu'ils préparent leurs sauces mole.

Trucs

- Ceux qui préfèrent leur chili un peu plus épicé peuvent y rajouter du poivre de Cayenne.
- Les restes de chili ne devraient jamais être jetés. Garnissez-en vos pommes de terre au four, que vous couvrirez de cheddar râpé.

Le soir précédent

Les ingrédients de ce chili peuvent être préparés à l'avance (sauf le poivron vert). Suivez les directives de préparation et réfrigérez le tout dans la cocotte pendant la nuit. Le lendemain, placez la cocotte dans la coque et faites cuire tel qu'il est indiqué.

1 kg	bœuf haché maigre		2 lb
2	grosses gousses d'ail, émincées		2
2	branches de céleri, hachées finement		2
2	gros oignons, hachés finement		2
25 ml	poudre chili		2 c. à soupe
2 ml	origan séché		1/2 c. à thé
1 ml	poivre de Cayenne		1/4 de c. à thé
800 ml	tomates en dés en conserve, avec leur jus		28 oz
550 ml	haricots rouges en conserve, ou secs, trempés et cuits, rincés et égouttés		19 oz
25 ml	poudre de cacao		2 c. à soupe
15 ml	cassonade		1 c. à soupe
3 ou 4	clous de girofle entiers		3 ou 4
5 ml	vinaigre blanc		1 c. à thé
2 ml	poivre noir		1/2 c. à thé
1	poivron vert moyen, haché finement		1
	Sel et poivre au goût		

1. Dans un grand poêlon à revêtement antiadhésif, faire sauter le bœuf haché, l'ail, le céleri et les oignons à feu moyen. Faire revenir jusqu'à ce que les légumes soient tendres et que la viande ne soit plus rosée. Ajouter la poudre chili, l'origan et le poivre de Cayenne ; laisser cuire 1 minute de plus. À l'aide d'une cuiller à égoutter, mettre le tout dans la mijoteuse.

2. Ajouter les tomates (et leur jus), les haricots rouges, la poudre de cacao, la cassonade, les clous de girofle, le vinaigre et le poivre ; bien mélanger. Mettre le couvercle et laisser cuire à basse température de 6 à 8 heures ou à haute température de 3 à 4 heures, jusqu'à ce que ce soit chaud et bouillonnant. Ajouter le poivron vert et remuer. Mettre le couvercle et laisser cuire de 20 à 25 minutes de plus. Saler et poivrer au goût.

Chili aux haricots noirs et au poulet dans des bols en tortilla

6 PORTIONS

Trucs

- Ce chili cuit en moins de temps que les chilis habituels compte tenu de l'utilisation de poitrines de poulet. Vous pouvez utiliser du poulet haché si vous préférez. Étant donné que les haricots en conserve et la salsa tendent à être salés, il se peut que l'ajout de sel ne soit pas nécessaire.
- Vous pouvez varier le degré de piquant de ce chili selon la salsa que vous utilisez. La salsa épicée donne des bouffées de chaleur tandis que la salsa douce plaira davantage aux papilles plus sensibles.
- Les tortillas molles sont vendues en différentes saveurs et couleurs. Ne craignez pas de toutes les essayer.

	Four préchauffé à 190 °C (375 °F)	
	Tôle à biscuits	

CHILI

15 ml	huile végétale	1 c. à soupe
1 kg	poitrines de poulet désossées, sans peau, coupées en cubes de 1 cm (1/2 po)	2 lb
1	oignon moyen, haché finement	1
2	gousses d'ail, émincées	2
550 ml	tomates en conserve, hachées, avec leur jus	19 oz
375 ml	grains de maïs, en conserve ou surgelés	1 1/2 tasse
550 ml	haricots noirs en conserve, ou secs, trempés et cuits, rincés et égouttés	19 oz
500 ml	salsa douce ou épicée	2 tasses
15 ml	poudre chili	1 c. à soupe
2 ml	sel	1/2 c. à thé

BOLS EN TORTILLA

6	grandes tortillas de farine	6
	Feuilles de laitue, rincées	
1	tomate, coupée en dés	1
2	piments jalapeño, hachés	2

☾**Le soir précédent**

Les ingrédients de ce chili peuvent être préparés 12 heures à l'avance. Suivez les directives de préparation et réfrigérez le tout dans la cocotte pendant la nuit. Le lendemain, placez la cocotte dans la coque et poursuivez la cuisson tel qu'il est indiqué.

1. Dans un grand poêlon à revêtement antiadhésif, faire chauffer l'huile à feu moyen. Ajouter le poulet et faire cuire en remuant fréquemment jusqu'à ce qu'il ait perdu sa couleur rosée. À l'aide d'une cuiller à égoutter, mettre dans la mijoteuse.

2. Ajouter l'oignon, l'ail, les tomates (et leur jus), le maïs, les haricots noirs, la salsa, la poudre chili et le sel; bien remuer. Mettre le couvercle et laisser cuire à basse température de 4 à 6 heures ou à haute température de 2 à 3 heures, jusqu'à ce que ce soit soit chaud et bouillonnant.

3. Les bols en tortilla: tapisser l'intérieur d'un bol à mélanger de 1,5 litre (6 tasses) de papier d'aluminium. Délicatement, mouler une tortilla contre les parois du moule d'aluminium. Retirer le moule et la tortilla ensemble et les placer sur une grande tôle à biscuits (la tortilla aura des plis). Répéter avec d'autres feuilles d'aluminium et des tortillas pour faire deux bols en tortilla de plus. Faire cuire dans un four préchauffé de 15 à 20 minutes ou jusqu'à ce que les tortillas soient croustillantes et dorées. Placer les tortillas sur une grille pour les refroidir. Répéter le processus pour un total de 6 bols.

4. Pour assembler, placer un bol en tortilla dans chaque assiette. Tapisser chaque bol d'une feuille de laitue. Mettre à la louche du chili dans chacun et garnir de dés de tomate et de piment jalapeño.

Chili en fête

8 À 10 PORTIONS

Trucs

- Ce plat se déguste merveilleusement bien accompagné d'une bouteille de vin rouge corsé.
- La meilleure coupe de viande pour ce chili est un bifteck de ronde ou du bœuf à ragoût. N'utilisez pas de coupe tendre comme la bavette qui ne ferait que se défaire compte tenu de la cuisson prolongée.
- Les flocons de piment rouge pour rehausser allègrement votre chili se trouvent dans la section des épices des supermarchés. Laissez-en sur la table en guise d'assaisonnement au lieu du sel et du poivre.

15 ml	huile végétale	1 c. à soupe
500 g	bifteck de ronde, coupé en cubes de 2,5 cm (1 po)	1 lb
500 g	saucisses italiennes, sans leur enveloppe	1 lb
2	gros oignons, hachés finement	2
800 ml	tomates en conserve, hachées, avec leur jus	28 oz
550 ml	haricots rouges en conserve, ou secs, trempés et cuits, rincés et égouttés	19 oz
550 ml	haricots noirs en conserve, ou secs, trempés et cuits, rincés et égouttés	19 oz
150 ml	concentré de tomates	5 1/2 oz
125 ml	vin rouge	1/2 tasse
4	gousses d'ail, émincées	4
25 ml	poudre chili	2 c. à soupe
15 ml	origan séché	1 c. à soupe
15 ml	moutarde de Dijon	1 c. à soupe
5 ml	poivre noir	1 c. à thé
2 ml	flocons de piment rouge (facultatif)	1/2 c. à thé
2 ml	sel	1/2 c. à thé
1	poivron rouge, haché finement	1
1	poivron vert, haché finement	1
	Oignons rouges, hachés	
	Fromage Monterey Jack, râpé	
	Croustilles de maïs (tortillas)	

☾ **Le soir précédent**

Les ingrédients de ce chili peuvent être préparés 12 heures à l'avance (sauf les poivrons rouge et vert). Suivez les directives de préparation et réfrigérez le tout pendant la nuit. Le lendemain, placez la cocotte dans la coque et faites cuire tel qu'il est indiqué.

1. Dans un grand poêlon à revêtement antiadhésif, faire chauffer l'huile à feu moyen-élevé. Ajouter les cubes de bœuf et faire dorer de 7 à 8 minutes ou jusqu'à ce qu'ils soient bien dorés sur tous les côtés. À l'aide d'une cuiller à égoutter, mettre les cubes dans la mijoteuse ; réserver les jus de cuisson. Remettre le poêlon sur le feu avec les jus de cuisson ; ajouter la chair à saucisse et les oignons, et faire cuire, en écrasant la viande à l'aide d'une cuiller (ajouter de l'huile au besoin). Lorsque la viande n'est plus rosée, égoutter et mettre dans la mijoteuse.

2. Ajouter les tomates (et leur jus), les haricots rouges, les haricots noirs, le concentré de tomates, le vin rouge, l'ail, la poudre chili, l'origan, la moutarde de Dijon, le poivre, les flocons de piment rouge (s'ils sont utilisés) et le sel ; bien mélanger. Mettre le couvercle et laisser cuire à basse température de 8 à 10 heures ou à haute température de 4 à 6 heures, jusqu'à ce que ce soit chaud et bouillonnant. Ajouter les poivrons rouge et vert ; mettre le couvercle et cuire à haute température 20 à 25 minutes de plus.

3. Servir accompagné d'oignon rouge, de Monterey Jack râpé et de croustilles de maïs.

Chili aux gros morceaux de bœuf

4 À 6 PORTIONS

Trucs

- Au lieu d'utiliser de la viande hachée pour ce chili, essayez des cubes à ragoût. Vous pouvez remplacer les pois chiches par des haricots rouges ou noirs.
- C'est la qualité de la poudre chili qui détermine la qualité du chili. La plupart des poudres chili proviennent d'un mélange de piments rouges moulus, de cumin, d'origan, d'ail et de sel. Ne confondez pas la poudre chili et le poivre de Cayenne ou les piments rouges séchés — ces derniers sont beaucoup plus forts.

☾ Le soir précédent

Les ingrédients de ce chili peuvent être préparés 12 heures à l'avance (sauf le poivron rouge). Suivez les directives de préparation et réfrigérez le tout dans la cocotte pendant la nuit. Le lendemain, placez la cocotte dans la coque et faites cuire tel qu'il est indiqué.

15 ml	huile végétale	1 c. à soupe
1 kg	bœuf à ragoût, coupé en cubes de 1 cm (1/2 po)	2 lb
25 ml	poudre chili	2 c. à soupe
5 ml	cumin moulu	1 c. à thé
5 ml	origan séché	1 c. à thé
4 ml	sel	3/4 de c. à thé
2	oignons moyens, hachés	2
2	carottes, hachées	2
2	branches de céleri, hachées	2
550 ml	tomates en conserve, en dés, avec leur jus	19 oz
550 ml	pois chiches en conserve, ou secs, trempés et cuits, égouttés et rincés	19 oz
250 ml	bouillon de bœuf	1 tasse
80 ml	concentré de tomates	3 oz
1	poivron rouge, haché	1

1. Dans un grand poêlon à revêtement antiadhésif, faire chauffer l'huile à feu moyen. Ajouter les cubes de bœuf et faire revenir de 7 à 8 minutes ou jusqu'à ce qu'ils soient dorés sur tous les côtés. Ajouter la poudre chili, le cumin, l'origan et le sel; laisser cuire 1 minute de plus. À l'aide d'une cuiller à égoutter, mettre la viande dans la mijoteuse.

2. Ajouter les oignons, les carottes, le céleri, les tomates (avec leur jus), les pois chiches, le bouillon et le concentré de tomates; bien mélanger. Mettre le couvercle et laisser cuire à basse température de 8 à 10 heures ou à haute température de 4 à 6 heures. Ajouter le poivron rouge; bien remuer. Mettre le couvercle et laisser cuire à haute température 20 à 25 minutes de plus.

Chili du dimanche

4 À 6 PORTIONS

Tout le monde se doit d'avoir une bonne recette de chili pour les dimanches tranquilles à la maison ou pour les repas improvisés entre amis. Ce chili légèrement épicé et sucré est idéal dans toutes les situations.

1 kg	bœuf haché maigre	2 lb
2	gros oignons, hachés	2
2	piments rouges forts, épépinés et hachés finement	2
25 ml	poudre chili	2 c. à soupe
5 ml	gingembre moulu	1 c. à thé
5 ml	cannelle	1 c. à thé
2 ml	poivre de la Jamaïque moulu	1/2 c. à thé
2 ml	muscade moulue	1/2 c. à thé
800 ml	tomates en conserve, en dés, avec leur jus	28 oz
285 ml	soupe aux tomates concentrée en conserve	10 oz
550 ml	haricots rouges en conserve, ou secs, trempés et cuits, rincés et égouttés	19 oz
125 ml	vinaigre de cidre	1/2 tasse
50 ml	cassonade tassée	1/4 de tasse
2	poivrons verts, hachés finement	2

Trucs

- Si vous disposez d'une mijoteuse de grande dimension (6 litres), vous pouvez aisément doubler cette recette. J'aime bien servir ce chili avec du pain à l'ail chaud ou des rôties beurrées.
- Il existe environ 100 variétés de piments forts et certains sont vraiment plus forts que d'autres. Règle générale, plus ils sont petits, plus ils sont forts.
- Lorsque vous manipulez des piments forts, veillez à ne pas porter les mains à vos yeux. Mieux encore, portez des gants de plastique, lavez-vous bien les mains et lavez les ustensiles après les avoir manipulés.

◖ Le soir précédent

Les ingrédients de ce chili peuvent être préparés 12 heures à l'avance (sauf le poivron vert). Suivez les directives de préparation et réfrigérez le tout dans la cocotte pendant la nuit. Le lendemain, placez la cocotte dans la coque et faites cuire tel qu'il est indiqué.

1. Dans un grand poêlon à revêtement antiadhésif, faire revenir le bœuf haché, les oignons et les piments rouges à feu moyen jusqu'à ce que la viande hachée ne soit plus rosée. Ajouter la poudre chili, le gingembre, la cannelle, le poivre de la Jamaïque et la muscade ; faire revenir 1 minute de plus. À l'aide d'une cuiller à égoutter, mettre la viande assaisonnée dans la mijoteuse.

2. Ajouter les tomates (avec leur jus), la soupe aux tomates, les haricots rouges, le vinaigre et la cassonade ; bien mélanger. Mettre le couvercle et laisser cuire à basse température de 8 à 10 heures ou à haute température de 4 à 6 heures jusqu'à ce que le chili soit chaud et bouillonnant. Ajouter le poivron vert en remuant bien. Mettre le couvercle et laisser cuire 20 à 25 minutes de plus.

Chili épicé à la dinde

4 À 6 PORTIONS

Mes enfants adorent ce chili que je sers avec des croustilles de tortilla. Procurez-vous les jaunes ou les bleues — peu importe lesquelles, tout le monde aime bien s'en servir comme cuiller.

Trucs

- La dinde hachée est une alternative savoureuse et à faible teneur en gras au bœuf haché. Peu goûteuse, la dinde nécessite cependant un peu plus d'assaisonnement. Rectifiez la quantité de flocons de piment rouge utilisée à votre goût.
- Les piments verts en conserve se trouvent dans la section des aliments mexicains des supermarchés. Ils se vendent hachés ou entiers.

15 ml	huile végétale	1 c. à soupe
1 kg	dinde hachée	2 lb
1	oignon, haché finement	1
5 ml	flocons de piment rouge	1 c. à thé
5 ml	coriandre moulue	1 c. à thé
5 ml	cumin moulu	1 c. à thé
2 ml	sel	1/2 c. à thé
1 ml	poivre noir	1/4 de c. à thé
550 ml	haricots blancs en conserve, ou secs, trempés et cuits, rincés et égouttés	19 oz
500 ml	bouillon de poulet	2 tasses
340 ml	grains de maïs en conserve **OU**	1 1/2 tasse
500 ml	maïs surgelé	2 tasses
125 ml	piments verts doux en conserve, hachés et égouttés	4 1/2 oz
250 ml	coriandre fraîche, hachée	1 tasse

Variante

Comme variante végétarienne, omettez la dinde et ajoutez 550 ml (19 oz) de haricots rouges en conserve en plus des petits haricots blancs.

☾ Le soir précédent

Les ingrédients de ce chili peuvent être préparés 12 heures à l'avance. Suivez les directives de préparation et réfrigérez le tout dans la cocotte pendant la nuit. Le lendemain, placez la cocotte dans la coque et faites cuire tel qu'il est indiqué.

1. Dans un poêlon à revêtement antiadhésif, faire chauffer l'huile à feu moyen. Ajouter la dinde hachée, l'oignon, les flocons de piment rouge, la coriandre et le cumin; faire cuire, en écrasant la viande à l'aide d'une cuiller, de 5 à 7 minutes, ou jusqu'à ce qu'elle ne soit plus rosée. À l'aide d'une cuiller à égoutter, mettre la dinde assaisonnée dans la mijoteuse.

2. Ajouter le sel, le poivre, la moitié des haricots, le bouillon, le maïs et les piments verts. Piler dans un bol à l'aide d'un pilon, ou dans un robot culinaire, le reste des haricots. Ajouter à la mijoteuse et bien mélanger.

3. Mettre le couvercle et faire cuire à basse température de 6 à 10 heures ou à haute température de 3 à 4 heures, jusqu'à ce que le chili soit chaud et bouillonnant. Ajouter la coriandre, mettre le couvercle et faire cuire à haute température 15 à 20 minutes de plus.

Chili végétarien doux et sucré

6 À 8 PORTIONS

Trucs

- Si vous trouvez ce chili trop sucré, réduisez la quantité de miel de 25 ml (2 c. à soupe).
- Remplacez 250 ml (1 tasse) de maïs surgelé par du maïs en conserve.
- Les haricots sont une excellente source de fibres et de protéines, et ils donnent à ce chili une consistance qui satisfait même le plus grand amateur de viande. N'hésitez pas à ajouter une quantité supplémentaire de haricots à cette recette. Les différentes formes et couleurs des variétés de haricots sont appétissantes et ajoutent de la texture.

☙Le soir précédent

Les ingrédients de ce chili peuvent être préparés 12 heures à l'avance. Suivez les directives de préparation et réfrigérez le tout dans la cocotte pendant la nuit. Le lendemain, placez la cocotte dans la coque et faites cuire tel qu'il est indiqué.

550 ml	pois chiches en conserve, ou secs, trempés et cuits, égouttés et rincés	19 oz
550 ml	haricots rouges en conserve, ou secs, trempés et cuits, rincés et égouttés	19 oz
800 ml	tomates aux fines herbes et épices en conserve, hachées	28 oz
285 ml	grains de maïs en conserve, égouttés	1 1/4 tasse
2	carottes, pelées et coupées en dés	2
2	grosses gousses d'ail, émincées	2
1	oignon rouge, haché finement	1
250 ml	ketchup	1 tasse
50 ml	miel liquide	1/4 de tasse
45 ml	poudre chili	3 c. à table
2 ml	poivre de Cayenne	1/2 c. à thé
1	poivron vert, coupé en dés	1
1	poivron rouge, coupé en dés	1
1	poivron jaune, coupé en dés	1
	Crème sure (crème aigre)	
	Cheddar, râpé	

1. Réunir dans la mijoteuse les pois chiches, les haricots rouges, les tomates, le maïs, les carottes, l'ail et l'oignon rouge. Mettre dans un bol le ketchup, le miel, la poudre chili et le poivre de Cayenne ; bien mélanger et verser dans la mijoteuse. Remuer le tout.
2. Mettre le couvercle et faire cuire à basse température de 8 à 10 heures ou à haute température de 4 à 6 heures, jusqu'à ce que le chili soit chaud et bouillonnant. Ajouter les poivrons vert, rouge et jaune et faire cuire à haute température de 20 à 25 minutes de plus. Servir dans des bols et garnir d'une bonne cuillerée de crème sure et de cheddar râpé.

Chili végétarien épicé et nourrissant

6 PORTIONS

Ce plat est un mélange épicé de courge, de carottes, de haricots noirs et plus encore — la viande ne vous manquera pas!

☾ Le soir précédent

Les ingrédients de ce chili peuvent être préparés 12 heures à l'avance. Suivez les directives de préparation et réfrigérez le tout dans la cocotte pendant la nuit. Le lendemain, placez la cocotte dans la coque et faites cuire tel qu'il est indiqué.

1	courge musquée moyenne, pelée et coupée en cubes de 2 cm (3/4 po)	1
2	carottes moyennes, coupées en dés	2
1	oignon moyen, haché finement	1
800 ml	tomates en conserve, coupées en dés, avec leur jus	28 oz
1 litre	haricots noirs en conserve, ou secs, trempés et cuits, rincés et égouttés	38 oz
125 ml	piments verts hachés en conserve, avec leur liquide	4 1/2 oz
250 ml	bouillon de légumes ou de poulet	1 tasse
45 ml	poudre chili	3 c. à soupe
2 ml	sel	1/2 c. à thé
50 ml	coriandre fraîche, hachée (voir *Trucs* à la page 101)	1/4 de tasse
	Crème sure (crème aigre)	
	Coriandre fraîche, hachée	

Trucs

- Vous pouvez remplacer la courge par deux grosses patates douces (pelées et hachées).

- La coriandre fraîche, également connue sous le nom de persil chinois ou arabe, a un parfum et une saveur très caractéristiques qui conviennent à de nombreuses recettes de chilis, ainsi qu'aux plats orientaux et indiens. Pour maximiser sa durée de vie plutôt courte dans le réfrigérateur, lavez bien les feuilles de coriandre, passez-les à l'essoreuse et emballez-les dans des feuilles de papier absorbant. Conservez dans un sac de plastique au réfrigérateur. Si la coriandre a des racines, laissez-les : les feuilles se conservent plus longtemps ainsi.

- Les piments verts en conserve se trouvent dans la section des aliments mexicains des supermarchés. Ils se vendent hachés ou entiers.

1. Mettre dans la mijoteuse la courge, les carottes, l'oignon, les tomates (et leur jus), les haricots noirs, les piments verts (avec leur liquide), le bouillon, la poudre chili et le sel ; bien mélanger.

2. Mettre le couvercle et faire cuire à basse température de 6 à 8 heures ou à haute température de 3 à 4 heures, jusqu'à ce que le chili soit chaud et bouillonnant. Ajouter la coriandre ; mettre le couvercle et faire cuire à haute température 15 à 20 minutes de plus. Servir à la louche dans des bols et garnir d'une bonne cuillerée de crème sure et de coriandre fraîche, hachée.

Chili hivernal au poulet et au maïs

6 À 8 PORTIONS

Truc

- Les poivrons rouges grillés vendus en pot ou ceux que l'on trouve au comptoir de la charcuterie de certains supermarchés sont pratiques. Pour en faire griller vous-même, préchauffez le gril du four et tranchez les poivrons en deux sur la longueur ; retirez la peau blanche et les pépins. Disposez les poivrons le côté coupé vers le bas sur une tôle à biscuits. Passez sous le gril jusqu'à ce que la peau devienne noire. Mettez les poivrons dans un sac de papier et fermez-le. Laissez les poivrons « suer » environ 30 minutes. Pelez-les et hachez-les selon vos besoins.

À faire à l'avance

Les poivrons peuvent être grillés, pelés et ensuite congelés pour une utilisation future. Ils se conservent jusqu'à 3 mois au congélateur.

15 ml	huile végétale	1 c. à soupe
1 kg	poulet haché	2 lb
3 ou 4	oignons verts, hachés finement	3 ou 4
10 ml	poudre chili	2 c. à thé
2 ml	origan séché	1/2 c. à thé
Pincée	poivre de Cayenne	Pincée
2	poivrons rouges rôtis, coupés en dés	2
25 ml	piments jalapeño dans le vinaigre, hachés finement	2 c. à soupe
3	gousses d'ail, émincées	3
1	feuille de laurier	1
550 ml	haricots blancs en conserve, ou secs, trempés et cuits, rincés et égouttés	19 oz
375 ml	grains de maïs surgelés	1 1/2 tasse
375 ml	bouillon de poulet	1 1/2 tasse
125 ml	coriandre fraîche, hachée	1/2 tasse
25 ml	jus de lime	2 c. à soupe
15 ml	sucre	1 c. à soupe
2 ml	sel	1/2 c. à thé
	Crème sure (crème aigre)	

1. Dans un poêlon à revêtement antiadhésif, faire chauffer l'huile à feu moyen-élevé. Ajouter le poulet et les oignons verts ; faire revenir, en écrasant la viande à l'aide d'une cuiller, de 4 à 6 minutes, ou jusqu'à ce que le poulet ne soit plus rosé. Ajouter la poudre chili, l'origan et le poivre de Cayenne ; faire cuire 1 minute de plus. À l'aide d'une cuiller à égoutter, mettre le mélange dans la mijoteuse.

2. Ajouter les poivrons rouges, les piments jalapeño, l'ail, la feuille de laurier, les haricots, le maïs et le bouillon ; bien mélanger.

3. Mettre le couvercle et faire cuire à basse température de 6 à 8 heures ou à haute température de 3 à 4 heures. Jeter la feuille de laurier. Incorporer, en remuant, la coriandre, le jus de lime, le sucre et le sel. Mettre le couvercle et faire cuire à haute température 10 minutes de plus ou jusqu'à ce que le chili soit bien chaud. Servir à la louche dans des bols et garnir d'une bonne cuillerée de crème sure.

Haricots au four hors pair

12 À 15 PORTIONS

J'aime bien apporter ce plat à notre fête de patinage et de promenade en traîneau annuelle. Lorsque les convives sont nombreux, c'est le plat idéal.

Truc
- Servez ces haricots avec du pain à l'ail et une salade verte.

Le soir précédent

Les ingrédients de ce plat peuvent être réunis dans la mijoteuse le jour précédent. Réfrigérez jusqu'au moment de faire cuire.

250 g	bacon	1/2 lb
500 g	bœuf haché maigre	1 lb
2	oignons, tranchés et séparés en rondelles	2
1 litre	Haricots au four à la mélasse (voir recette, page 110) OU	4 tasses
800 ml	haricots en sauce tomate en conserve	28 oz
550 ml	haricots rouges en conserve, ou secs, trempés et cuits, rincés et égouttés	19 oz
550 ml	pois chiches en conserve, ou secs, trempés et cuits, égouttés et rincés	19 oz
500 ml	ketchup	2 tasses
50 ml	sucre	1/4 de tasse
50 ml	cassonade	1/4 de tasse
45 ml	vinaigre blanc	3 c. à soupe
15 ml	moutarde de Dijon	1 c. à soupe

1. Dans un grand poêlon à revêtement antiadhésif, faire revenir le bacon à feu moyen-élevé pendant 5 minutes ou jusqu'à ce qu'il soit légèrement cuit, mais non croustillant. Retirer le bacon du poêlon et le disposer dans une assiette tapissée de papier absorbant. Laisser tiédir et hacher grossièrement. Jeter l'excès de gras du poêlon. Ajouter le bœuf haché et les oignons au poêlon ; faire revenir, en défaisant la viande, pendant 7 à 8 minutes, ou jusqu'à ce que la viande soit dorée et les oignons translucides. À l'aide d'une cuiller à égoutter, mettre le mélange dans la mijoteuse.

2. Ajouter les haricots au four, les haricots rouges, les pois chiches, le ketchup, le sucre, la cassonade, le vinaigre et la moutarde ; bien mélanger.

3. Mettre le couvercle et laisser cuire à basse température de 7 à 9 heures ou à haute température de 3 à 4 heures, jusqu'à ce que le mélange bouillonne.

Moussaka aux haricots noirs

6 À 8 PORTIONS

Cette variante végétarienne du plat grec classique est un excellent plat à préparer à l'avance pour un repas du soir au chalet.

	Cocotte de la mijoteuse légèrement graissée	
1	grosse aubergine, pelée et coupée en cubes de 5 cm (2 po)	1
	Sel	
25 ml	huile d'olive	2 c. à soupe
1	gros oignon, haché finement	1
550 ml	tomates en conserve, hachées, avec leur jus	19 oz
50 ml	vin rouge	1/4 de tasse
25 ml	concentré de tomates	2 c. à soupe
5 ml	origan séché	1 c. à thé
1 ml	cannelle	1/4 de c. à thé
1 litre	haricots noirs en conserve, ou secs, trempés et cuits, rincés et égouttés	38 oz

GARNITURE

250 ml	lait	1 tasse
2	œufs	2
25 ml	beurre ou margarine	2 c. à soupe
25 ml	farine	2 c. à soupe
2 ml	sel	1/2 c. à thé
1 ml	poivre noir	1/4 de c. à thé
1 ml	muscade moulue	1/4 de c. à thé
125 ml	mozzarella, râpée	1/2 tasse

Trucs

- Vous en avez assez d'ouvrir une conserve de concentré de tomates et de n'en utiliser qu'une petite quantité ? Procurez-vous du concentré de tomates en tube vendu dans la plupart des supermarchés.
- Les aubergines, si elles ne sont pas saupoudrées de sel avant d'être utilisées, développent un goût amer dans la mijoteuse. Saupoudrez les tranches de sel. Disposez-les dans une passoire, couvrez-les d'une assiette sur laquelle vous mettrez une conserve lourde. Laissez les aubergines dégorger pendant 1 heure ; rincez-les ensuite à l'eau froide pour enlever toute trace de sel et asséchez-les avec du papier absorbant.

⏱ Le soir précédent

Cette recette peut être préparée 12 heures à l'avance. Suivez les directives de préparation et réfrigérez le tout dans la cocotte pendant la nuit. Le lendemain, placez la cocotte dans la coque et faites cuire tel qu'il est indiqué.

1. Disposer les cubes d'aubergine dans une passoire et les saler ; couvrir d'une assiette. Laisser reposer pendant 1 heure ou jusqu'à ce que l'aubergine ait dégorgé. Bien rincer à l'eau froide courante pour enlever le sel ; égoutter. Enlever l'excès d'eau et assécher à l'aide de papier absorbant.

2. Dans un grand poêlon à revêtement antiadhésif, faire chauffer la moitié de la quantité d'huile à feu moyen-élevé. Ajouter l'aubergine et faire dorer les morceaux pendant 10 minutes, ou jusqu'à ce qu'ils soient légèrement rôtis. Mettre dans une assiette et réserver. Remettre le poêlon sur le feu et ajouter les 15 ml (1 c. à soupe) d'huile restants. Ajouter l'oignon et faire revenir pendant 5 minutes, ou jusqu'à ce qu'il soit attendri. Ajouter les tomates (et leur jus), le vin rouge, le concentré de tomates, l'origan et la cannelle. Porter le mélange à ébullition, réduire le feu et laisser mijoter pendant 5 minutes. Incorporer les haricots noirs et réserver.

3. La garniture : dans une tasse graduée de 500 ml (2 tasses), bien mélanger le lait et les œufs ; réserver. Dans une casserole, faire fondre le beurre à feu moyen-doux. Ajouter la farine en remuant pour bien mélanger. Augmenter la température du feu à moyen et ajouter graduellement le mélange lait et œufs, en fouettant constamment jusqu'à ce que la sauce ait épaissi. Ajouter le sel, le poivre et la muscade.

4. Pour monter la moussaka : mettre dans la mijoteuse la moitié des cubes d'aubergine sautés. À l'aide d'une cuiller, recouvrir du mélange tomates et haricots. Ajouter le reste des cubes d'aubergine et verser la sauce. Garnir de mozzarella râpée.

5. Mettre le couvercle et faire cuire à basse température de 8 à 10 heures ou à haute température de 4 à 6 heures, jusqu'à ce que la moussaka bouillonne. Laisser reposer 5 minutes avant de servir.

Cari de lentilles à la courge et aux noix d'acajou

6 PORTIONS

Les végétariens de votre entourage apprécieront tellement ce plat que vous l'ajouterez à votre répertoire d'entrées sans viande. Une excellente recette aux saveurs du Moyen-Orient.

Trucs

- Un bon bol de ce cari est un repas en soi. Servez-le accompagné de pain pita chaud.
- Pour les amateurs de viande, ajoutez des restes de poulet cuit haché au moment d'ajouter les épinards.
- Bien que des lentilles vertes soient vendues en conserve, celles qui sont sèches cuisent en un rien de temps. Il est important de trier les lentilles avant de les rincer et de les égoutter.

10 ml	huile végétale	2 c. à thé
1	oignon moyen, haché	1
2	gousses d'ail, émincées	2
25 ml	farine	2 c. à soupe
15 ml	cari	1 c. à soupe
15 ml	gingembre frais, râpé	1 c. à soupe
	OU	
5 ml	gingembre moulu	1 c. à thé
5 ml	cumin moulu	1 c. à thé
5 ml	graines de fenouil	1 c. à thé
5 ml	sel	1 c. à thé
500 ml	bouillon de légumes ou de poulet	2 tasses
250 ml	eau ou jus de pomme	1 tasse
250 ml	lentilles vertes séchées, triées et rincées	1 tasse
500 ml	courge musquée, pelée et hachée	2 tasses
1	grosse pomme de terre, coupée en dés de 2,5 cm (1 po)	1
1,5 litre	feuilles d'épinard frais, lavées et parées	6 tasses
125 ml	noix d'acajou (salées ou non salées)	1/2 tasse

1. Dans un poêlon, faire chauffer l'huile à feu moyen. Ajouter l'oignon et l'ail, et faire revenir 5 minutes ou jusqu'à ce qu'ils soient amollis et translucides. Ajouter en remuant la farine, le cari, le gingembre, le cumin, les graines de fenouil et le sel; bien mélanger.

2. Ajouter en remuant le bouillon et l'eau ; porter à ébullition en raclant le fond du poêlon. Mettre le mélange dans la mijoteuse. Ajouter les lentilles, la courge et la pomme de terre ; bien mélanger. Mettre le couvercle et faire cuire à basse température de 7 à 9 heures ou à haute température de 3 à 4 heures.

3. Ajouter les feuilles d'épinard ; bien mélanger. Mettre le couvercle et faire cuire à haute température encore 15 minutes ou jusqu'à ce que les feuilles aient flétri. Verser à la louche dans des bols individuels et parsemer de noix d'acajou.

Haricots au four à la mélasse

4 À 6 PORTIONS

Rien ne réchauffe les cœurs autant qu'une cocotte de ces haricots cuits au four. Le mariage de ketchup, mélasse et sucre déborde de saveur. En plus d'être succulents, ces haricots sont aussi très nourrissants et s'avèrent une excellente source de protéines et de fibres.

Truc
- Les petits haricots blancs sont ceux qu'on trouve dans les recettes de «fèves au lard» ou, comme le requièrent plusieurs recettes, des «haricots en sauce tomate». Il importe de faire tremper les haricots d'abord afin de remplacer l'eau perdue lors du processus de déshydratation.

Variante
Haricots à la salsa: utilisez de la salsa au lieu du ketchup, et ajoutez 5 ml (1 c. à thé) de cumin moulu et 5 ml (1 c. à thé) d'origan séché. Utilisez 5 ml (1 c. à thé) de poivre noir au lieu de 1 ml (1/4 de c. à thé).

1 litre	eau	4 tasses
500 g	petits haricots blancs secs	I lb
1,5 litre	eau froide	6 tasses
1	oignon, haché	1
150 ml	concentré de tomates	5 1/2 oz
175 ml	ketchup	3/4 de tasse
175 ml	mélasse	3/4 de tasse
2	gousses d'ail, émincées	2
75 ml	cassonade tassée	1/3 de tasse
10 ml	moutarde sèche	2 c. à thé
2 ml	sel	1/2 c. à thé
1 ml	poivre noir	1/4 de c. à thé

1. Dans une grande casserole, porter l'eau à ébullition à feu moyen-élevé. Ajouter les haricots et faire mijoter 10 minutes. Égoutter et rincer.

2. Mettre les haricots dans la mijoteuse et ajouter environ 1,5 litre (6 tasses) d'eau froide ou suffisamment pour les recouvrir entièrement. Mettre le couvercle et faire cuire à basse température de 10 à 12 heures ou jusqu'à ce qu'ils cèdent sous les dents d'une fourchette. Égoutter et réserver 500 ml (2 tasses) de liquide de cuisson.

3. Dans un bol, bien mélanger l'oignon, le concentré de tomates, le ketchup, la mélasse, l'ail, le sucre, la moutarde, le sel et le poivre. Mettre dans la mijoteuse avec les haricots et le liquide de cuisson. Mettre le couvercle et faire cuire à basse température de 4 à 6 heures ou à haute température de 2 à 3 heures jusqu'à ce que les haricots soient chauds et bouillonnent.

Pâtes

111

Sauce à la viande

DONNE 3 LITRES (6 TASSES)

C'est ma recette préférée pour les spaghettis. La quantité suffit à faire deux repas. S'il vous en reste un peu, mettez-en une cuillerée sur une pomme de terre au four et ajoutez-y aussi une cuillerée de crème sure (crème aigre) pour un repas rapide et nourrissant.

La cuisson lente et la viande hachée

Il est toujours préférable de faire revenir les viandes hachées avant de les ajouter à la mijoteuse. Ainsi, la viande est toujours entièrement cuite et atteint la température de 65 °C (150 °F) recommandée. Si vous vous servez d'un poêlon à revêtement antiadhésif, vous n'aurez pas à utiliser d'huile pour faire revenir la viande à moins que ce soit de la dinde ou du poulet haché, qui sont généralement très maigres.

15 ml	huile végétale	1 c. à soupe
1 kg	bœuf haché maigre ou dinde ou poulet, haché	2 lb
4	gousses d'ail, émincées	4
2	oignons, hachés finement	2
2	branches de céleri, hachées finement	2
15 ml	origan séché	1 c. à soupe
2 ml	thym séché	1/2 c. à thé
2 ml	basilic séché	1/2 c. à thé
800 ml	tomates en conserve, en dés, avec leur jus	28 oz
150 ml	concentré de tomates	5 1/2 oz
1	feuille de laurier	1
15 ml	cassonade	1 c. à soupe
2 ml	sel	1/2 c. à thé
2 ml	flocons de piment rouge (facultatif)	1/2 c. à thé
	Sel et poivre	
	Spaghettis cuits et chauds	

Menu suggéré
- Pâtes, sauce à la viande
- Salade césar
- Pain italien
- Crème glacée au cappuccino et biscotti

1. Dans un grand poêlon, faire chauffer l'huile à feu moyen-élevé. Ajouter le bœuf et faire dorer en défaisant la viande à l'aide d'une cuiller. Pendant que la viande cuit, ajouter l'ail, les oignons, le céleri, l'origan, le thym et le basilic. Faire cuire de 2 à 3 minutes, ou jusqu'à ce que les légumes soient tendres. À l'aide d'une cuiller à égoutter, mettre la viande assaisonnée dans la mijoteuse.

2. Ajouter les tomates (et leur jus), le concentré de tomates, la feuille de laurier, la cassonade, le sel et les flocons de piment rouge si vous les utilisez ; bien mélanger.

3. Mettre le couvercle et faire cuire à basse température de 8 à 10 heures ou à haute température de 4 à 6 heures, jusqu'à ce que la sauce soit chaude et bouillonnante. Retirer la feuille de laurier et la jeter. Saler et poivrer au goût. Servir sur des spaghettis cuits et chauds ou autres pâtes au choix.

Sauce tomate à l'italienne

DONNE ENVIRON 3 LITRES

(12 TASSES)

Truc

• Faites congeler la sauce dans des portions de 500 ml (2 tasses) que vous pouvez faire décongeler pour vous en servir dans d'autres recettes. Essayez-la avec le Pastitsio aux légumes (voir recette, page 116), la Casserole de tortellinis fromagée (voir recette, page 115) ou le Ragoût épicé de haricots blancs et de saucisses (voir recette, page 165).

Le soir précédent

Cette recette peut être préparée de 12 heures à 24 heures à l'avance. Suivez les directives de préparation et réfrigérez le tout dans la cocotte pendant la nuit. Le lendemain, placez la cocotte dans la coque et faites cuire tel qu'il est indiqué.

3,2 litres	tomates italiennes en conserve, hachées grossièrement, avec leur jus	14 tasses
250 ml	vin rouge	1 tasse
125 ml	huile d'olive	1/2 tasse
50 ml	persil frais, haché	1/4 de tasse
	OU	
25 ml	persil séché	2 c. à soupe
4	gousses d'ail, émincées	4
10 ml	sel	2 c. à thé
5 ml	flocons de piment rouge	1 c. à thé
5 ml	origan séché	1 c. à thé
8	feuilles de basilic frais	8
	OU	
5 ml	basilic séché	1 c. à thé
5 ml	poivre noir	1 c. à thé

1. Mettre dans la mijoteuse les tomates (et leur jus), le vin, l'huile d'olive, le persil, l'ail, le sel, les flocons de piment rouge, l'origan, le basilic et le poivre.
2. Mettre le couvercle et faire cuire à basse température de 8 à 10 heures ou à haute température de 4 à 6 heures, jusqu'à ce que la sauce soit chaude et bouillonnante.
3. Servir sur des pâtes cuites chaudes et saupoudrer de parmesan râpé.

Casserole de tortellinis fromagée

Cette recette est idéale à servir à la famille ou pour des réceptions improvisées.

Trucs

- Faites un repas délicieux en servant cette casserole accompagnée de bruschetta, d'une salade verte et en couronnant le tout d'une crème glacée au cappuccino.
- La sauce aux poivrons rouges grillés est vendue dans plusieurs magasins d'alimentation. Vous la trouverez dans la section des aliments réfrigérés près des pâtes fraîches. Si vous n'en trouvez pas, utilisez plutôt 750 ml (3 tasses) de votre sauce à pâtes en conserve ou en pot préférée ou la Sauce tomate à l'italienne (voir recette, page 114) à la place des sauces aux poivrons rouges et tomate.

Le soir précédent

Cette recette peut être préparée à l'avance et réfrigérée toute la nuit. Le lendemain, insérez la cocotte dans la coque et faites cuire tel qu'il est indiqué.

	Cocotte de la mijoteuse légèrement graissée	
1 kg	tortellinis fourrés au fromage	2 lb
400 g	sauce aux poivrons rouges grillés	14 oz
200 ml	sauce tomate	7 oz
550 ml	tomates étuvées en conserve pour les pâtes, avec leur jus	19 oz
500 ml	cheddar, râpé	2 tasses
25 ml	parmesan, râpé	2 c. à soupe
	Persil frais, haché	

1. Dans une marmite d'eau bouillante, faire cuire les pâtes selon les indications inscrites sur le paquet ; égoutter. Bien mélanger dans un bol la sauce aux poivrons rouges et la sauce tomate.

2. À l'aide d'une cuiller, couvrir le fond de la cocotte du tiers du mélange de sauces aux poivrons rouges et tomate. Mettre par couches la moitié des pâtes cuites, toutes les tomates (avec leur jus), un autre tiers de mélange de sauces aux poivrons et tomate, et la moitié du cheddar. Couvrir du reste des pâtes cuites, du dernier tiers du mélange de sauces aux poivrons et tomate, et du reste du cheddar. Saupoudrer de parmesan et du persil haché.

3. Mettre le couvercle et faire cuire à basse température de 4 à 6 heures ou à haute température de 2 à 3 heures, jusqu'à ce que le tout bouillonne.

Pastitsio aux légumes

(Voir photo, p. 128)

6 À 8 PORTIONS

Un mélange savoureux de légumes recouvre les épinards et les pâtes crémeuses dans cette délicieuse variante grecque de lasagne.

Truc
- Vous pouvez utiliser 250 ml (1 tasse) de la Sauce tomate à l'italienne (voir recette, page 114) au lieu de la sauce tomate en conserve.

🕐 **Le soir précédent**
Ce plat est un peu long à préparer, mais heureusement ceci peut se faire jusqu'à 24 heures à l'avance. Suivez les directives de préparation et réfrigérez toute la nuit dans la cocotte de la mijoteuse. Le lendemain, il vous suffit de faire cuire comme l'indique la recette. Cette recette est idéale pour un buffet.

Cocotte de la mijoteuse légèrement graissée

CROÛTE DE PÂTES CRÉMEUSE

750 ml	penne sèches ou autres petites pâtes au choix	3 tasses
50 ml	beurre ou margarine	1/4 de tasse
50 ml	farine	1/4 de tasse
385 ml	lait concentré	13 oz
2 ml	muscade moulue	1/2 c. à thé
2 ml	sel	1/2 c. à thé
1 ml	poivre noir	1/4 de c. à thé
2	œufs, légèrement battus	2
250 ml	fromage cottage (fromage blanc) à petits grains	1 tasse
250 ml	mozzarella, râpée	1 tasse

GARNITURE DE LÉGUMES

15 ml	huile végétale	1 c. à soupe
1	oignon moyen, haché finement	1
2	gousses d'ail, émincées	2
1	petit zucchini, haché finement	1
1	carotte, pelée et râpée	1
250 ml	grains de maïs surgelés	1 tasse
200 ml	sauce tomate	7 oz
2 ml	origan séché	1/2 c. à thé
1 ml	cannelle	1/4 de c. à thé

Menu suggéré
- Pastitsio aux légumes
- Salade verte
- Pain italien
- Pêches au caramel (voir recette, page 231)

1 ml	poivre noir	1/4 de c. à thé
300 g	épinards surgelés, décongelés et hachés	11 oz
50 ml	parmesan	1/4 de tasse

1. Dans une marmite d'eau bouillante et salée, faire cuire les pâtes selon les directives sur le paquet; égoutter et bien rincer à l'eau froide. Réserver.

2. Dans une casserole à fond épais, faire fondre le beurre à feu moyen. Ajouter la farine et faire cuire en remuant continuellement pour éviter de faire brunir, pendant 2 minutes. Ajouter graduellement le lait en fouettant constamment jusqu'à l'obtention d'une béchamel lisse. Faire cuire pendant 5 minutes ou jusqu'à ce qu'elle ait épaissi. Incorporer la muscade, le sel et le poivre.

3. Mettre dans un grand bol les œufs et environ 125 ml (1/2 tasse) de béchamel en mélangeant bien. Ajouter le reste de la béchamel, le fromage cottage, la mozzarella et les pâtes cuites. Réserver.

4. Dans un grand poêlon, faire chauffer l'huile à feu moyen. Ajouter l'oignon, l'ail, le zucchini et la carotte; faire cuire pendant 5 minutes ou jusqu'à ce que les légumes soient tendres. Ajouter le maïs, la sauce tomate, l'origan, la cannelle et le poivre. Porter à ébullition, réduire le feu et laisser mijoter 5 minutes.

5. Couvrir le fond de la cocotte graissée du mélange de pâtes. Répartir les épinards sur les pâtes et le mélange de légumes sur les épinards. Saupoudrer de parmesan. Mettre le couvercle et faire cuire à basse température de 6 à 9 heures ou à haute température de 3 à 4 heures, jusqu'à ce que le plat bouillonne. Laisser reposer 10 minutes avant de servir.

Bœuf et veau

119

Bœuf à la Stroganov bon marché

4 PORTIONS

Ce plat est délicieux et beaucoup plus économique que la variante traditionnelle habituellement préparée avec du filet de bœuf.

Trucs

- Servir sur des nouilles aux œufs au beurre, avec un légume vert cuit à la vapeur tel que des haricots verts ou du brocoli. Pour en faire un repas complet, accompagnez-le d'un vin rouge généreux.
- Le paprika le plus savoureux provient de la Hongrie. On en trouve du doux et du fort. Utilisez celui qui convient à vos goûts.

Variante

Essayez cette recette avec des cubes de veau à ragoût au lieu de bœuf.

50 ml	farine	1/4 de tasse
5 ml	sel	1 c. à thé
2 ml	poivre noir	1/2 c. à thé
1 kg	bœuf à ragoût, coupé en cubes de 2,5 cm (1 po)	2 lb
15 ml	huile végétale	1 c. à soupe
250 g	petits champignons blancs, ou gros champignons coupés en quartiers, nettoyés	1/2 lb
2	oignons, tranchés mince	2
375 ml	bouillon de bœuf	1 1/2 tasse
45 ml	sauce Worcestershire	3 c. à soupe
45 ml	concentré de tomates	3 c. à soupe
25 ml	paprika	2 c. à soupe
20 ml	moutarde de Dijon	1 1/2 c. à soupe
250 ml	crème sure (crème aigre)	1 tasse
	Nouilles aux œufs cuites et chaudes	

1. Dans un bol ou un sac de plastique, mélanger la farine, le sel et le
   poivre. Par petites quantités à la fois, bien enfariner les cubes de bœuf.
   Dans un grand poêlon à revêtement antiadhésif, faire chauffer l'huile à
   feu moyen. Faire dorer les cubes de bœuf par petites quantités à la fois
   de 5 à 7 minutes. À l'aide d'une cuiller à égoutter, mettre le bœuf dans
   la mijoteuse ; ajouter les champignons et les oignons.

2. Dans une tasse graduée de 500 ml (2 tasses), bien mélanger le bouillon
   de bœuf, la sauce Worcestershire, le concentré de tomates, le paprika et
   la moutarde. Verser dans la mijoteuse.

3. Mettre le couvercle et faire cuire à basse température de 8 à 10 heures
   ou à haute température de 4 à 6 heures, jusqu'à ce que le bœuf
   bouillonne. Incorporer en remuant la crème sure et servir sur des
   nouilles chaudes.

Sandwiches chauds à la viande et au fromage fondant

4 À 6 PORTIONS

Recette idéale les soirs où tout le monde mange à différentes heures. Vous pouvez laisser la garniture à mijoter doucement dans la mijoteuse et chacun peut se servir quand bon lui semble.

Truc
- Servez ces sandwiches sur des pains kaiser ou des rôties de blé entier et accompagnez-les d'une salade verte pour un délicieux repas complet.

Menu suggéré
- Sandwiches chauds à la viande et au fromage fondant
- Frites au four ou quartiers de pommes de terre
- Salade verte
- Pouding brownie au fudge renversé (voir recette, page 240)

1 kg	**bœuf (ou dinde) haché**	2 lb
1	**oignon moyen, haché finement**	1
2	**branches de céleri, hachées finement**	2
285 ml	**soupe aux tomates concentrée en conserve**	10 oz
50 ml	**eau**	1/4 de tasse
25 ml	**concentré de tomates**	2 c. à soupe
15 ml	**sauce Worcestershire**	1 c. à soupe
10 ml	**assaisonnement italien séché**	2 c. à thé
250 ml	**cubes de 1 cm (1/2 po) de cheddar**	1 tasse
	Sel et poivre	
4 à 6	**pains kaiser, coupés en deux et grillés**	4 à 6

1. Dans un grand poêlon à revêtement antiadhésif sur feu moyen, faire dorer le bœuf haché en le défaisant à la cuiller. À l'aide d'une cuiller à égoutter, mettre la viande dans la mijoteuse.

2. Ajouter l'oignon à la mijoteuse avec le céleri, la soupe aux tomates (non diluée), l'eau, le concentré de tomates, la sauce Worcestershire et l'assaisonnement italien en remuant pour bien mélanger. Mettre le couvercle et faire cuire à basse température de 6 à 10 heures ou à haute température de 3 à 4 heures.

3. Régler la mijoteuse à basse température. Ajouter les cubes de fromage. Mettre le couvercle et faire cuire 10 à 15 minutes de plus ou jusqu'à ce que le fromage soit fondu. Saler et poivrer au goût. Déposer à la cuiller sur une moitié de pain kaiser et couvrir de l'autre moitié.

Bœuf au cognac

4 À 6 PORTIONS

Un plat délicieux et des plus
réconfortants.

Trucs

- Ces succulents filaments de bœuf
  juteux peuvent être servis avec
  une purée de pommes de terre
  ou être utilisés pour faire des
  Roulés au bœuf et au fromage
  (voir recette, page 136).
  Rassurez-vous : s'il y a des restes,
  ce ne sera pas pour longtemps !

- La pointe de surlonge est une
  coupe de bœuf très maigre, mais
  idéale pour faire des filaments de
  bœuf. Vous pouvez omettre le
  brandy si vous préférez, mais il
  donne à la sauce une belle
  couleur riche et foncée.

☕ Le soir précédent

Cette recette peut être préparée
jusqu'à 12 heures à l'avance.
Suivez les directives de préparation
et réfrigérez la cocotte et son
contenu toute la nuit. Le
lendemain, placez la cocotte dans
la coque et faites cuire tel qu'il est
indiqué.

1,5 à 2 kg	pointe de surlonge de bœuf	3 à 4 lb
	Sel et poivre	
15 ml	huile végétale	1 c. à soupe
50 ml	cognac ou brandy (facultatif)	1/4 de tasse
500 ml	bouillon de bœuf	2 tasses
250 ml	vin rouge	1 tasse
2	oignons, tranchés	2

1. Saler et poivrer le rôti. Dans un grand poêlon ou une cocotte, faire
   chauffer l'huile à feu moyen-élevé. Ajouter le rôti et faire cuire, en
   tournant la viande à l'aide d'une cuiller de bois pendant 10 minutes,
   ou jusqu'à ce qu'il soit doré de tous les côtés. Verser le cognac sur la
   viande (si utilisé) et faire flamber. Mettre la viande dans la mijoteuse.

2. Ajouter le bouillon à la mijoteuse ainsi que le vin rouge et les oignons.
   Mettre le couvercle et faire cuire à basse température de 10 à 12 heures
   ou à haute température de 6 à 8 heures, jusqu'à ce que la viande soit
   très tendre. (Si une grosse mijoteuse de 4 à 6 litres est utilisée, la
   viande ne sera peut-être pas entièrement recouverte de liquide ; la
   tourner à 2 ou 3 reprises pendant la cuisson afin que les parties
   exposées ne se dessèchent pas.)

3. Retirer la viande du liquide de cuisson et laisser reposer pendant
   10 minutes. À l'aide d'une fourchette, déchiqueter le bœuf en suivant
   le sens des fibres de la viande ; elle devrait se séparer très aisément.
   Servir accompagné des jus de cuisson pour tremper.

Ragoût crémeux de veau et de champignons

4 À 6 PORTIONS

Ce merveilleux ragoût crémeux et riche peut être servi autant à des invités qu'à la famille. Veillez à le présenter sur un lit de nouilles aux œufs cuites et chaudes.

Truc

- Pour vous faciliter la tâche, cherchez des cubes de veau à ragoût pré-coupés au comptoir des viandes du supermarché ou demandez à votre boucher de couper le veau pour vous.

Le soir précédent

Cette recette peut être préparée jusqu'à 12 heures à l'avance. Suivez les directives de préparation et réfrigérez la cocotte et son contenu toute la nuit. Le lendemain, placez la cocotte dans la coque et faites cuire tel qu'il est indiqué.

50 ml	farine	1/4 de tasse
5 ml	sel	1 c. à thé
2 ml	poivre noir	1/2 c. à thé
2 ml	thym séché	1/2 c. à thé
1,5 kg	épaule (ou gigot) de veau, bien parée et coupée en cubes	3 lb
25 ml	huile végétale	2 c. à soupe
250 g	petits champignons blancs ou gros champignons blancs, coupés en quartiers	1/2 lb
2	oignons moyens, hachés	2
2	gousses d'ail, émincées	2
1 tasse	bouillon de bœuf	250 ml
50 ml	xérès sec	1/4 de tasse
25 ml	concentré de tomates	2 c. à soupe
50 ml	crème à fouetter (crème riche)	1/4 de tasse
500 ml	pois verts surgelés	2 tasses
	Sel et poivre au goût	
	Nouilles aux œufs cuites et chaudes	

1. Dans un bol ou un sac de plastique, mélanger la farine, le sel, le poivre et le thym. Par petites quantités à la fois, bien enfariner le veau. Mettre dans une assiette. Dans un grand poêlon, faire chauffer à feu moyen-élevé la moitié de l'huile. Faire dorer les cubes de veau par petites quantités à la fois, en ajoutant de l'huile au besoin, pendant 7 à 8 minutes ou jusqu'à ce qu'ils soient dorés de tous les côtés. Mettre le veau dans la mijoteuse avec les champignons, les oignons et l'ail.

2. Dans une tasse graduée de 500 ml (2 tasses), bien mélanger le bouillon, le xérès et le concentré de tomates. Verser dans la mijoteuse et bien remuer. Mettre le couvercle et faire cuire à basse température de 8 à 10 heures ou à haute température de 4 à 6 heures, jusqu'à ce que la viande soit tendre et que la sauce bouillonne.

3. Ajouter la crème et les pois. Mettre le couvercle et faire cuire à haute température de 15 à 20 minutes de plus, ou jusqu'à ce que le tout soit entièrement chaud. Saler et poivrer au goût. Servir sur un lit de nouilles chaudes.

Côtes levées à la bière

6 PORTIONS

Trucs

- Les côtes ou les bouts de côtes sont des os bien viandés d'environ 10 à 15 cm (4 à 6 po) de long. La cuisson lente les rend très savoureux et tendres. Attention : ces côtes levées requièrent l'appétit solide d'un bûcheron ! Le raifort est indispensable avec ces morceaux de viande tendres à souhait.
- Lorsque vous achetez des bouts de côtes, 500 g (1 lb) de viande devrait vous donner 2 portions.
- Passer les côtes sous le gril au préalable leur permet de dorer et élimine l'excès de gras.

	Gril préchauffé	
	Lèchefrite ou tôle à biscuit recouverte d'une feuille de papier d'aluminium	
1,5 kg	bouts de côtes ou haut-de-côtes	3 lb
	Poivre noir	
550 ml	tomates italiennes en conserve, hachées grossièrement	19 oz
500 ml	carottes, finement hachées	2 tasses
2	oignons moyens, tranchés finement	2
8	gousses d'ail, émincées	8
125 ml	persil frais, haché	1/2 tasse
	OU	
50 ml	persil séché	1/4 de tasse
25 ml	concentré de tomates	2 c. à soupe
25 ml	vinaigre de vin rouge	2 c. à soupe
25 ml	cassonade	2 c. à soupe
10 ml	sel	2 c. à thé
2 ml	moutarde sèche	1/2 c. à thé
15 ml	gingembre frais, râpé	1 c. à soupe
	OU	
5 ml	gingembre moulu	1 c. à thé
350 ml	bière	12 oz
25 ml	raifort préparé	2 c. à soupe

1. Placer une grille du four à 15 cm (6 po) du gril. Disposer les côtes sur une tôle à biscuits préparée et poivrer généreusement. Les faire griller dans un four préchauffé pendant 10 à 15 minutes, en les tournant souvent, jusqu'à ce qu'elles soient dorées sur tous les côtés. Mettre dans une assiette tapissée de papier absorbant pour égoutter.

2. Dans un bol, bien mélanger les tomates, les carottes, les oignons, l'ail, le persil, le concentré de tomates, le vinaigre, la cassonade, le sel, la moutarde sèche et le gingembre. Verser la moitié du mélange aux légumes dans la mijoteuse, y déposer les côtes et verser le reste du mélange aux légumes. Verser la bière sur le tout.

3. Mettre le couvercle et faire cuire à basse température de 8 à 10 heures ou à haute température de 4 à 6 heures. Mettre la viande dans une assiette et garder au chaud.

4. Dégraisser la surface du liquide de cuisson et ajouter le raifort; bien mélanger. Réduire le mélange en purée, par petites quantités à la fois, à l'aide d'un mélangeur ou d'un robot culinaire. Verser sur les côtes et servir immédiatement.

Cigares au chou faciles

6 À 8 PORTIONS

Bien que tout le monde aime le bon goût des cigares au chou, ils prennent beaucoup de temps à préparer. Cette recette est une alternative facile qui a le même bon goût.

Menu suggéré
- Cigares au chou faciles
- Purée de pommes de terre et pois
- Pêches au caramel (voir recette, page 231)

☕ Le soir précédent
Cette recette peut être préparée jusqu'à 12 heures à l'avance. Suivez les directives de préparation et réfrigérez la cocotte et son contenu toute la nuit. Le lendemain, placez la cocotte dans la coque et faites cuire tel qu'il est indiqué.

Photos: Pastitsio aux légumes, p. 116
Page suivante: Poitrine de bœuf et légumes à la glace marmelade-moutarde, p. 138

	Cocotte de la mijoteuse légèrement graissée	
750 g	bœuf maigre (ou dinde), haché	1 1/2 lb
2	oignons moyens, finement hachés	2
1	gousse d'ail, émincée	1
5 ml	sel	1 c. à thé
1 ml	poivre noir	1/4 de c. à thé
220 ml	sauce tomate	7 oz
250 ml	eau	1 tasse
285 ml	soupe aux tomates concentrée en conserve	10 oz
125 ml	riz à grain long	1/2 tasse
1 litre	chou coupé en lanières	4 tasses
75 ml	jus de tomate ou eau	1/3 de tasse
	Crème sure (crème aigre)	

1. Dans un grand poêlon à revêtement antiadhésif, faire revenir le bœuf haché, les oignons, l'ail, le sel et le poivre sur feu moyen-élevé ; faire cuire, en défaisant la viande à l'aide d'une cuiller, jusqu'à ce qu'elle soit bien dorée. Enlever tout excès de gras. Remettre sur le feu et ajouter la sauce tomate, l'eau et la moitié de la soupe aux tomates ; bien mélanger. Ajouter le riz en remuant.

2. Placer la moitié du mélange à la viande dans le fond de la mijoteuse, ensuite la moitié du chou. Ajouter le reste du mélange à la viande et le reste du chou.

3. Dans un bol, bien mélanger le reste de la soupe aux tomates avec le jus de tomate. Verser dans la mijoteuse. Mettre le couvercle et faire cuire à basse température de 8 à 10 heures ou à haute température de 4 à 6 heures, jusqu'à ce que le plat bouillonne et soit entièrement chaud. Servir avec de la crème sure.

Rôti braisé à la méditerranéenne

6 À 8 PORTIONS

*Cette recette met en vedette
des tomates séchées au soleil
et des olives servies avec un jus
de rôti savoureux.*

Trucs

- Choisissez un rôti bien persillé tel qu'un rôti de côtes croisées, de palette ou de croupe.
- L'ajout de vinaigre, de jus de pomme ou de vin à un rôti de bœuf braisé contribue à garder la viande tendre.

Menu suggéré

- Rôti braisé à la méditerranéenne
- Purée de pommes de terre
- Haricots verts à la vapeur
- Croustade aux pommes traditionnelle (voir recette, page 224)

🕯 Le soir précédent

Cette recette peut être préparée jusqu'à 12 heures à l'avance. Suivez les directives de préparation et réfrigérez la cocotte et son contenu toute la nuit. Le lendemain, placez la cocotte dans la coque et faites cuire tel qu'il est indiqué.

15 ml	huile végétale	1 c. à soupe
15 ml	assaisonnement italien séché	1 c. à soupe
1	grosse gousse d'ail, émincée	1
1	rôti de côtes croisées ou de palette de 1,5 à 2 kg (3 à 4 lb)	1
5 ml	poivre noir	1 c. à thé
75 ml	tomates séchées au soleil (conservées dans l'huile), égouttées et hachées	1/3 de tasse
125 ml	olives noires dénoyautées, coupées en deux	1/2 tasse
10 à 12	petits oignons, pelés	10 à 12
125 ml	bouillon de bœuf	1/3 de tasse
15 ml	vinaigre balsamique	1 c. à soupe

1. Dans un grand poêlon, faire chauffer l'huile à feu moyen-élevé. Ajouter l'assaisonnement italien et l'ail; faire cuire pendant 1 minute. Poivrer le rôti et le déposer dans l'huile assaisonnée. Faire cuire en tournant le rôti à l'aide d'une cuiller de bois pendant 7 à 10 minutes, ou jusqu'à ce qu'il soit doré de tous les côtés. Mettre dans la mijoteuse.

2. Parsemer le rôti des tomates séchées, des olives et des oignons. Dans un bol, mélanger le bouillon et le vinaigre, et verser dans la mijoteuse. Mettre le couvercle et faire cuire à basse température de 8 à 10 heures ou à haute température de 4 à 6 heures.

3. Retirer le bœuf de la mijoteuse et laisser reposer pendant 15 minutes avant de servir. Trancher le bœuf en travers des fibres. Servir accompagné du jus de bœuf et des légumes.

Photo: Cari au bœuf à la noix de coco, p. 144

Pain de viande

6 À 8 PORTIONS

Truc
- Je suis convaincue qu'il n'y a pas meilleure façon de faire cuire un pain de viande que dans une mijoteuse. La cuisson lente aide à garder la viande juteuse et tendre, et la rend facile à couper. Ce pain de viande peut être préparé avec 1 kg (2 lb) de bœuf haché (au lieu du bœuf et du porc) ou vous pouvez utiliser 500 g (1 lb) de bœuf et remplacer le porc par de la dinde ou du poulet haché.

Menu suggéré
- Pain de viande
- Purée de pommes de terre
- Mini-carottes
- Croustade aux pommes traditionnelle (voir recette, page 224)

500 g	bœuf haché maigre	1 lb
500 g	porc haché maigre	1 lb
4	oignons verts, hachés finement	4
300 g	épinards hachés surgelés, décongelés et égouttés	10 oz
175 ml	chapelure fine	3/4 de tasse
125 ml	parmesan, râpé	1/2 tasse
50 ml	sauce chili	1/4 de tasse
2	œufs, légèrement battus	2
50 ml	persil frais, haché	1/4 de tasse
	OU	
25 ml	persil séché	2 c. à soupe
10 ml	sel	2 c. à thé
2 ml	muscade moulue	1/2 c. à thé
1 ml	poivre noir	1/4 de c. à thé
	Persil frais, haché	

1. Plier en deux sur la longueur, deux fois, une feuille d'aluminium de 60 cm (2 pieds). Placer au fond et contre les parois intérieures de la cocotte de la mijoteuse.
2. Dans un grand bol, bien mélanger le bœuf et le porc. Dans un autre bol, mélanger les oignons verts, les épinards, la chapelure, le fromage, la sauce chili, les œufs, le persil, le sel, la muscade et le poivre. Ajouter à la viande et bien mélanger. Presser uniformément dans la cocotte tapissée de papier d'aluminium. Insérer les extrémités du papier sous le couvercle.

3. Mettre le couvercle et faire cuire à basse température de 8 à 10 heures ou à haute température de 4 à 6 heures, jusqu'à ce que les jus soient clairs lorsque le pain de viande est piqué à la fourchette. Servir garni de persil frais, haché.

Rôti braisé maison

6 À 8 PORTIONS

Je cuisine ce rôti lorsque j'ai envie de me rappeler mon enfance et l'arôme exceptionnel qui m'accueillait quand j'entrais à la maison. Je suis sûre que mes enfants auront des souvenirs semblables lorsqu'ils seront plus vieux.

Truc

- La cuisson lente aide à attendrir les coupes de viande moins tendres. Le rôti braisé est avantagé par une cuisson plus lente à basse température, mais si le temps vous manque, comptez 6 heures à haute température pour obtenir une viande qui se coupe à la fourchette.

50 ml	farine	1/4 de tasse
	Sel et poivre	
1	rôti de côtes croisées ou de croupe de 1,5 à 2 kg (3 à 4 lb)	1
15 ml	huile végétale	1 c. à soupe
2	oignons, coupés en quartiers	2
4	carottes, pelées et tranchées	4
4 à 6	pommes de terre, pelées et coupées en quartiers	4 à 6
250 ml	bouillon de bœuf	1 tasse
220 ml	sauce tomate	7 oz
1	gousse d'ail, émincée	1
2 ml	thym séché	1/3 de c. à thé
1	feuille de laurier	1
	Sel et poivre	

1. Mettre la farine dans un bol; saler et poivrer. Assécher la viande et enfariner du mélange assaisonné.
2. Dans un grand poêlon, faire chauffer l'huile sur feu moyen-élevé. Ajouter la viande et faire cuire en la tournant à l'aide d'une cuiller de bois, pendant 7 à 10 minutes, ou jusqu'à ce que tous les côtés soient dorés. Mettre le rôti dans la mijoteuse.

✦**Le soir précédent**
Cette recette peut être préparée jusqu'à 12 heures à l'avance. Suivez les directives de préparation et réfrigérez la cocotte et son contenu toute la nuit. Le lendemain, placez la cocotte dans la coque et faites cuire tel qu'il est indiqué.

3. Ajouter à la mijoteuse les oignons, les carottes, les pommes de terre, le bouillon, la sauce tomate, l'ail, le thym et la feuille de laurier. Mettre le couvercle et faire cuire à basse température de 10 à 12 heures ou à haute température de 6 à 8 heures, jusqu'à ce que les légumes soient tendres.

4. Retirer le rôti, les oignons, les carottes et les pommes de terre, couvrir et réserver. Jeter la feuille de laurier. Incliner la mijoteuse et dégraisser la surface du liquide de cuisson ; saler et poivrer au goût. Verser la sauce dans une saucière. Trancher le rôti, disposer les tranches dans un plat de service et entourer des légumes. Servir accompagné de la sauce.

Osso bucco avec gremolata au citron

6 À 8 PORTIONS

Ce plat italien classique est idéal pour la mijoteuse. Il doit mijoter lentement, toute la journée — exactement ce qu'il vous faut lorsque vous invitez des gens à manger et ne voulez pas vous casser la tête. Vos invités seront accueillis par un arôme délectable dès qu'ils franchiront le seuil de la porte!

8	tranches épaisses de jarret de veau avec l'os, chacune bien ficelée	8
	Sel et poivre	
	Farine	
25 ml	huile d'olive	2 c. à soupe
25 ml	beurre	2 c. à soupe
2	oignons moyens, hachés finement	2
2	carottes, pelées et hachées finement	2
1	branche de céleri, hachée finement	1
6	grosses gousses d'ail, émincées	6
250 ml	vin blanc sec	1 tasse
175 ml	bouillon de poulet ou de bœuf	3/4 de tasse
800 ml	tomates en conserve, égouttées et hachées	28 oz
2	feuilles de basilic frais, entières	2
	OU	
2 ml	basilic séché	1/2 c. à thé
2	brins de thym frais	2
	OU	
2 ml	thym séché	1/2 c. à thé
50 ml	persil frais, haché	1/4 de tasse
	OU	
2 ml	persil séché	1/2 c. à thé
2	feuilles de laurier	2

Trucs

- Je vous conseille d'utiliser une mijoteuse de grand format (5 à 6 litres) pour cette recette. Dans le cas d'une plus petite mijoteuse (2 ¹/₂ à 4 litres), réduisez la quantité des ingrédients de moitié et utilisez 550 ml (19 oz) de tomates en conserve.
- Les jarrets de veau sont faciles à trouver dans la section des viandes fraîches des supermarchés. Il est important de les ficeler à l'aide d'une corde de boucher pour éviter qu'ils ne se défassent pendant la cuisson. Demandez au boucher de le faire pour vous — vous consacrerez moins de temps à la préparation.

GREMOLATA

15 ml	zeste de citron, râpé	1 c. à soupe
1	gousse d'ail, émincée	1
50 ml	persil frais, haché	¹/₄ de tasse

1. Saler et poivrer légèrement les tranches de jarret de veau des deux côtés. Enfariner les tranches et les secouer pour éliminer l'excès.
2. Dans un grand poêlon, faire chauffer l'huile d'olive sur feu moyen-élevé. Ajouter le veau et faire dorer des deux côtés. Mettre les tranches dans la mijoteuse. Vider tout excès de gras du poêlon.
3. Remettre le poêlon sur feu moyen et faire fondre le beurre. Ajouter les oignons, les carottes, le céleri et l'ail. Faire revenir pendant 5 minutes ou jusqu'à ce que les légumes aient amolli. Ajouter le vin, le bouillon, les tomates, le basilic, le thym, le persil et la feuille de laurier; bien mélanger. Déposer ce mélange à l'aide d'une cuiller sur le veau dans la mijoteuse. Saler et poivrer au goût.
4. Mettre le couvercle et faire cuire à basse température de 8 à 12 heures ou à haute température de 5 à 7 heures, en arrosant de temps à autre. Enlever les feuilles de laurier et les jeter. Si la cuisson est réglée à haute température, elle peut être réduite à basse température une fois que la viande a cuit la durée de temps suggérée. La mijoteuse conservera la viande au chaud jusqu'au moment de servir.
5. Gremolata: mélanger dans un bol le zeste de citron, l'ail et le persil. Lorsque les tranches de veau sont bien tendres, couper les ficelles et déposer la viande dans une assiette de service chaude. Napper de sauce et garnir de gremolata.

Roulés au bœuf et au fromage

4 À 6 PORTIONS

*Voici une excellente façon
d'utiliser les restes de
filaments de bœuf. Il suffit
de réchauffer le bœuf dans la
sauce et de savourer un repas
simple fait en deux temps
trois mouvements.*

Trucs
- Disposer des bols de fromage, d'oignons et de rondelles de piment fort sur la table et laissez tout le monde préparer son propre roulé.
- Pour réchauffer les tortillas, emballez-les dans du papier d'aluminium et faites-les chauffer au four chauffé à 180 °C (350 °F) pendant 15 à 20 minutes.
- Comment remplir et rouler les tortillas : à l'aide d'une cuiller, déposez les différentes garnitures dans la tortilla réchauffée. Repliez le côté droit de la tortilla, ensuite la partie inférieure et ensuite le côté gauche. Servez.

1 kg	filaments de bœuf cuits et chauds	2 lb
	(de la recette Bœuf au cognac, page 123)	
8	grandes tortillas de farine	8
8	tranches de provolone ou de fromage suisse	8
	Tranches d'oignons cuites	
	Rondelles de piment fort au vinaigre	

1. Disposer des filaments de bœuf au centre de chaque tortilla de farine chaude. Garnir d'oignons cuits (de la mijoteuse), d'une tranche de fromage et de quelques rondelles de piment fort. Plier en forme de paquet (voir *Trucs* ci-contre).
2. Servir chaud accompagné du jus de cuisson comme trempette.

Bœuf aux champignons

4 PORTIONS

Ce délicieux ragoût est semblable au bœuf bourguignon, mais il est légèrement plus sucré, à cause de l'ajout de confiture.

Trucs
- Pour donner un joli lustre à ce plat, ajoutez des abricots séchés hachés à la mi-cuisson.
- Faire dorer la viande assaisonnée avant de la mettre dans la mijoteuse ajoutera à la saveur du ragoût. Mais si le temps vous manque, vous pouvez enfariner la viande et l'ajouter directement à la mijoteuse sans la faire dorer au préalable.

À faire à l'avance
Faire cuire le ragoût la veille rehaussera les saveurs qui auront le temps de se mêler et de s'adoucir.

Menu suggéré
- Bœuf aux champignons
- Purée de pommes de terre
- Courge cuite au four
- Bananes tranchées et lait

50 ml	farine	1/4 de tasse
5 ml	sel	1 c. à thé
2 ml	poivre noir	1/2 c. à thé
1 kg	bœuf à ragoût, en cubes de 2,5 cm (1 po)	2 lb
25 ml	huile végétale	2 c. à soupe
1	gros oignon, tranché	1
2	gousses d'ail, émincées	2
250 g	champignons, tranchés	1/2 lb
125 ml	confiture d'abricots	1/2 tasse
125 ml	vin rouge	1/2 tasse
250 ml	bouillon de bœuf	1 tasse
1	poivron vert ou rouge, tranché	1

1. Dans un bol ou un sac de plastique, mélanger la farine, le sel et le poivre. Par petites quantités à la fois, enfariner le bœuf du mélange assaisonné. Mettre dans une assiette.
2. Dans un grand poêlon, faire chauffer la moitié de la quantité d'huile à feu moyen-élevé. Faire dorer le bœuf par petites quantités à la fois en ajoutant de l'huile au besoin. Mettre le bœuf dans la mijoteuse. Ajouter l'oignon, l'ail et les champignons.
3. Mélanger dans un bol la confiture, le vin et le bouillon; ajouter à la mijoteuse en remuant. Mettre le couvercle et faire cuire à basse température de 8 à 10 heures ou à haute température de 4 à 6 heures.
4. Avant de servir, ajouter les tranches de poivron. Mettre le couvercle et faire cuire à haute température de 15 à 20 minutes de plus.

Poitrine de boeuf et légumes à la glace marmelade-moutarde

(Voir photo, p. 128)

8 À 10 PORTIONS

Il n'existe pas meilleure façon d'apprêter ce type de boeuf. Un succès assuré!

Trucs
- Je me sers d'une mijoteuse de grand format (5 à 6 litres) pour cette recette. Si votre mijoteuse est plus petite (3 1/2 à 4 litres), couper la poitrine de bœuf en morceaux.
- Parce que le chou est cuit séparément une fois la cuisson de la viande terminée, il ne transmet pas sa saveur soutenue aux autres légumes.

	Tôle à biscuits	
4 à 6	pommes de terre, pelées et coupées en quartiers	4 à 6
4 à 6	carottes, pelées et coupées en morceaux de 5 cm (2 po)	4 à 6
2	oignons, coupés en quartiers	2
1	poitrine de bœuf fumée de 2 kg (4 lb)	1
350 ml	bière forte	12 oz
2 à 4	clous de girofle entiers	2 à 4
5 ml	grains de poivre entiers	1 c. à thé
15 ml	cassonade	1 c. à soupe
	Eau	
1	petit chou, coupé en quartiers	1

GLACE À LA MARMELADE

125 ml	marmelade à l'orange	1/2 tasse
25 ml	moutarde de Dijon	2 c. à soupe
25 ml	cassonade	2 c. à soupe

1. Mettre les pommes de terre, les carottes et les oignons dans la mijoteuse. Ajouter la poitrine de bœuf, la bière, les clous de girofle, les grains de poivre et la cassonade. Ajouter suffisamment d'eau pour couvrir la viande et les légumes.

2. Mettre le couvercle et faire cuire à basse température de 10 à 12 heures ou à haute température de 6 à 8 heures. Retirer la viande du liquide de cuisson et la déposer sur une tôle à biscuits. Mettre les légumes dans une assiette et garder au chaud.

3. Verser le liquide de cuisson dans une grande casserole à feu moyen-élevé. Si le liquide goûte trop salé, en jeter une partie et remplacer par de l'eau fraîche. Répéter jusqu'à ce que le goût salé vous convienne. Piquer de cure-dents les quartiers de chou et ajouter au liquide de cuisson. Porter le liquide à ébullition ; réduire l'intensité du feu et laisser mijoter pendant 15 minutes ou jusqu'à ce que le chou soit tendre.

4. Glace à la marmelade : mélanger dans un bol la marmelade, la moutarde et la cassonade. Étendre à l'aide d'une cuiller sur la pièce de bœuf et placer sous le gril préchauffé à environ 15 cm (6 po) de la source de chaleur. Faire cuire de 2 à 3 minutes.

5. Couper des tranches minces en travers des fibres et disposer dans une assiette avec les légumes. Ajouter les quartiers de chou à l'assiette et servir avec de la moutarde.

Sandwiches texans à la poitrine de bœuf barbecue

6 À 8 PORTIONS

La poitrine de bœuf, une coupe moins tendre, convient très bien à la cuisson lente. L'un des ingrédients de cette populaire recette du Sud des États-Unis est une sauce barbecue à la fumée de noyer qui ajoute un arôme riche au plat. Il est préférable de laisser la viande cuire longtemps et lentement.

Truc
- Cette recette est idéale pour les pique-niques accompagnée de Haricots au four (voir recette, page 104) qui peuvent être cuisinés le jour précédent et mangés froids.

Menu suggéré
- Sandwiches texans à la poitrine de bœuf barbecue
- Salade de pommes de terre
- Haricots au four (voir recette, page 104)

1	pointe de poitrine de bœuf de 1,5 kg (3 lb), bien parée	1
125 ml	ketchup	1/2 tasse
50 ml	eau	1/4 de tasse
50 ml	miel	1/4 de tasse
50 ml	vinaigre de vin rouge	1/4 de tasse
25 ml	cassonade	2 c. à soupe
25 ml	sauce de piment rouge	2 c. à soupe
	OU	
5 ml	flocons de piment rouge	1 c. à thé
25 ml	sauce barbecue à la fumée de noyer	2 c. à soupe
15 ml	sauce Worcestershire	1 c. à soupe
15 ml	moutarde de Dijon	1 c. à soupe
15 ml	sauce soja	1 c. à soupe
2	gousses d'ail, émincées	2
1	oignon, haché finement	1
8	pains kaiser, tranchés en deux	8

1. Mettre la pièce de viande dans la mijoteuse (si le morceau est trop gros, le couper transversalement en 2 ou 3 gros morceaux).

2. Mélanger dans un bol ou une tasse graduée le ketchup, l'eau, le miel, le vinaigre, le sucre, la sauce de piment rouge, la sauce barbecue, la sauce Worcestershire, la moutarde, la sauce soja, l'ail et l'oignon. Bien mélanger et verser sur la poitrine de bœuf. Mettre le couvercle et faire cuire à basse température de 8 à 10 heures, jusqu'à ce que la viande soit très tendre.

3. Retirer la viande de la mijoteuse et laisser reposer pendant 10 minutes avant de la trancher. À l'aide d'un couteau bien affûté, trancher finement la viande en travers des fibres. Disposer de la viande sur une moitié de pain kaiser, ajouter 25 ml (1 c. à soupe) de sauce et couvrir de l'autre moitié de pain kaiser. Servir accompagné de sauce comme trempette.

Ragoût de bœuf et de champignons sauvages

4 À 6 PORTIONS

Si vous adorez la combinaison bœuf et champignons, ce ragoût se classera parmi vos préférés.

Trucs

- Il existe plusieurs variétés de champignons séchés, dont les shiitakes et les chanterelles. Une fois réhydratés, les champignons retrouvent toute leur saveur et leur texture originales. Si le liquide de trempage est incorporé à la recette, la saveur en est encore améliorée. À part l'eau bouillante, vous pouvez utiliser du vin rouge ou du bouillon de bœuf pour faire tremper les champignons de ce ragoût.
- Pour une saveur encore plus poivrée, ajoutez les grains de poivre concassés à la farine qui sert à enfariner le bœuf.

150 g	champignons séchés tels que les shiitakes ou les chanterelles	5 oz
250 ml	eau bouillante	1 tasse
50 ml	farine	1/4 de tasse
10 ml	grains de poivre fraîchement concassés (facultatif)	2 c. à thé
2 ml	basilic séché	1/2 c. à thé
2 ml	origan séché	1/2 c. à thé
2 ml	sel	1/2 c. à thé
500 g	bœuf à ragoût, en cubes de 2,5 cm (1 po)	2 lb
25 ml	huile végétale	2 c. à soupe
250 ml	bouillon de bœuf	1 tasse
2	carottes moyennes, pelées et coupées en deux sur la longueur et ensuite en trois sur la largeur	2
1	oignon, haché	1
	OU	
15 à 20	petits oignons, pelés	15 à 20
2	gousses d'ail, émincées	2
250 g	petits champignons, coupés en quartiers	1/2 lb
125 ml	vin rouge	1/2 tasse
25 ml	concentré de tomates	2 c. à soupe
15 ml	vinaigre balsamique	1 c. à soupe
1	feuille de laurier	1

1. Dans une tasse graduée de 500 ml (2 tasses), combiner les champignons séchés et l'eau bouillante. Laisser reposer de 20 à 30 minutes.

2. Dans un sac de plastique résistant, mélanger la farine, le poivre (si désiré), le basilic, l'origan et le sel. Enfariner le bœuf par petites quantités à la fois. Mettre dans une assiette. Dans un grand poêlon à revêtement antiadhésif, faire chauffer la moitié de l'huile à feu moyen-élevé ; faire dorer le bœuf par petites quantités à la fois, en ajoutant de l'huile au besoin. À l'aide d'une cuiller à égoutter, mettre le bœuf dans la mijoteuse. Ajouter le bouillon de bœuf au poêlon ; remuer pour détacher les sucs de cuisson et verser dans la mijoteuse.

3. Ajouter les carottes, les oignons, l'ail, les petits champignons, le vin, le concentré de tomates, le vinaigre et la feuille de laurier à la mijoteuse.

4. À l'aide d'une cuiller à égoutter, retirer les champignons du liquide de trempage ; les hacher grossièrement et les ajouter à la mijoteuse avec le liquide de trempage. Bien brasser pour bien mélanger le bœuf et les légumes.

5. Mettre le couvercle et faire cuire à basse température de 8 à 10 heures ou à haute température de 4 à 6 heures, jusqu'à ce que les légumes soient tendres et que le ragoût bouillonne. Retirer la feuille de laurier et la jeter avant de servir.

Cari au bœuf à la noix de coco

(Voir photo, p. 129)

6 À 8 PORTIONS

Trucs

- La pâte de cari rouge se trouve souvent dans la section des aliments orientaux des supermarchés. C'est un ingrédient populaire dans les recettes indiennes et thaïlandaises qui rehausse merveilleusement bien la plupart des plats. Si vous n'en trouvez pas, utilisez du cari à la place.
- Servez ce plat sur un lit de couscous ou de riz basmati, bien chaud.
- Le lait de coco en conserve est fait à partir de chair de noix de coco ayant trempé et n'est pas le liquide qui se trouve à l'intérieur de la noix de coco. On en trouve dans la section des aliments orientaux de la plupart des supermarchés et les magasins d'alimentation orientale. Veillez à ne pas acheter de la crème de coco qui sert le plus couramment à faire des cocktails exotiques comme le pina colada.

15 ml	huile végétale	1 c. à soupe
1 kg	bœuf à ragoût, coupé en lanières de 3 mm (1/4 po)	2 lb
2	oignons, tranchés	2
2	gousses d'ail, émincées	2
25 ml	paprika	2 c. à soupe
25 ml	cumin moulu	2 c. à soupe
5 ml	cannelle	1 c. à thé
10 ml	pâte de cari rouge OU	2 c. à thé
15 ml	cari	1 c. à soupe
4	pommes de terre moyennes, pelées et hachées	4
500 g	mini-carottes pelées	1 lb
25 ml	concentré de tomates	2 c. à soupe
400 ml	lait de coco	14 oz
125 ml	eau	1/2 tasse
5 ml	sel	1 c. à thé
	Coriandre fraîche, hachée	

1. Dans un grand poêlon à revêtement antiadhésif, faire chauffer l'huile à feu moyen-élevé. Faire dorer de petites quantités à la fois de lanières de bœuf pendant 2 à 3 minutes. Ajouter les oignons, l'ail, le paprika, le cumin, la cannelle et la pâte de cari (ou le cari). Faire revenir 2 minutes ou jusqu'à ce qu'ils dégagent leur arôme. À l'aide d'une cuiller à

égoutter, mettre le mélange dans la mijoteuse. Ajouter les pommes de terre et les carottes.

2. Dans un petit bol, mélanger le concentré de tomates, le lait de coco, l'eau et le sel ; bien mélanger. Ajouter à la mijoteuse ; remuer pour bien mélanger la viande et les légumes.

3. Mettre le couvercle et faire cuire à basse température de 8 à 10 heures ou à haute température de 4 à 6 heures, jusqu'à ce que les légumes soient tendres et que le ragoût bouillonne. Servir garni de coriandre hachée.

Ragoût de veau
à la méditerranéenne

4 À 6 PORTIONS

Faites bonne impression auprès de vos invités avec ce ragoût de veau délicatement parfumé.

50 ml	farine	1/4 de tasse
10 ml	origan séché	2 c. à thé
2 ml	thym séché	1/2 c. à thé
5 ml	sel	1 c. à thé
1 ml	poivre noir	1/4 de c. à thé
1 kg	épaule de veau, bien parée et coupée en cubes de 2,5 cm (1 po)	2 lb
25 ml	huile végétale	2 c. à soupe
250 ml	bouillon de poulet	1 tasse
2	gousses d'ail, émincées	2
1	oignon moyen, haché	1
220 ml	sauce tomate	7 oz
25 ml	vinaigre de vin rouge	2 c. à soupe
50 ml	tomates séchées au soleil (dans de l'huile), égouttées et hachées	1/4 de tasse
1	poivron vert, haché grossièrement	1
125 ml	feta, émiettée	1/2 tasse
25 ml	persil frais, haché	2 c. à soupe

1. Dans un sac de plastique résistant, mélanger la farine, l'origan, le thym, le sel et le poivre. Enfariner les cubes de veau par petites quantités à la fois. Mettre dans une assiette. Dans un grand poêlon à revêtement antiadhésif, faire chauffer la moitié de l'huile à feu moyen-élevé. Faire dorer le veau par petites quantités à la fois en ajoutant de l'huile au besoin. À l'aide d'une cuiller à égoutter, mettre le veau dans la mijoteuse.

Trucs

- Comme menu typiquement méditerranéen, servir ce ragoût accompagné d'une salade grecque (tomates et concombres hachés et olives noires, avec une vinaigrette citron-origan).
- Le veau que l'on trouve dans les magasins est soit du veau de lait ou du veau de grain. Le veau de lait est de couleur rose pâle crémeux et considéré de qualité supérieure. Le veau de grain est plus rouge, mais à saveur quand même délicate. Pour accélérer la préparation du ragoût, achetez des cubes de veau à ragoût. Faute de veau, utilisez du bœuf à ragoût.

Le soir précédent

Cette recette peut être préparée jusqu'à 12 heures à l'avance. Suivez les directives de préparation et réfrigérez la cocotte et son contenu toute la nuit. Le lendemain, placez la cocotte dans la coque et faites cuire tel qu'il est indiqué.

2. Verser le bouillon dans le poêlon et bien remuer pour en dégager les sucs de cuisson. Verser le mélange de bouillon dans la mijoteuse avec l'ail, l'oignon, la sauce tomate, le vinaigre et les tomates séchées. Mettre le couvercle et faire cuire à basse température de 8 à 10 heures ou à haute température de 4 à 6 heures, jusqu'à ce que la viande soit tendre et que le ragoût bouillonne.

3. Incorporer le poivron vert. Mettre le couvercle et faire cuire à haute température de 15 à 20 minutes, ou jusqu'à ce que le tout soit bien chaud. Servir à la louche du ragoût dans des bols individuels et garnir chacun de feta émiettée et de persil.

Ragoût de bœuf à l'ancienne

6 À 8 PORTIONS

Ce ragoût est très semblable à celui que ma mère cuisinait lorsque mes sœurs et moi étions petites. Que de bons souvenirs!

Trucs

- Servez ce ragoût accompagné de tranches épaisses de pain croûté pour absorber toute trace de la sauce onctueuse.
- Réfrigérez les restes jusqu'à 3 jours ou congelez-les pendant un maximum de 3 mois. Pour obtenir une belle consistance, ajoutez 125 ml (1/2 tasse) d'eau avant de réchauffer.

Variante

Pour changer de temps à autre, je cuisine ce ragoût en remplaçant les tomates en conserve par des tomates en conserve à l'ail rôti et au basilic.

50 ml	farine	1/4 de tasse
5 ml	sel	1 c. à thé
2 ml	poivre noir	1/2 c. à thé
1 kg	bœuf à ragoût, coupé en cubes de 1 cm (1/2 po)	2 lb
25 ml	huile végétale	2 c. à soupe
500 ml	bouillon de bœuf	2 tasses
4	carottes moyennes, pelées et tranchées	4
4	pommes de terre moyennes, pelées et hachées	4
2	branches de céleri, hachées	2
1	gros oignon, coupé en dés OU	1
15 à 20	petits oignons blancs, pelés	15 à 20
550 ml	tomates en conserve, en dés, avec leur jus	19 oz
1	feuille de laurier	1
15 ml	sauce Worcestershire	1 c. à soupe
50 ml	persil frais, haché OU	1/4 de tasse
25 ml	persil séché	2 c. à soupe
250 ml	pois surgelés	1 tasse
	Sel et poivre	

⟨⟩ **Le soir précédent**
Cette recette peut être préparée jusqu'à 12 heures à l'avance. Suivez les directives de préparation et réfrigérez la cocotte et son contenu toute la nuit. Le lendemain, placez la cocotte dans la coque et faites cuire tel qu'il est indiqué.

1. Dans un sac de plastique résistant, mélanger la farine, le sel et le poivre. Enfariner les cubes de bœuf par petites quantités à la fois. Mettre dans une assiette. Dans un grand poêlon à revêtement antiadhésif, faire chauffer la moitié de l'huile à feu moyen-élevé. Faire bien dorer le bœuf par petites quantités à la fois, en ajoutant de l'huile au besoin. À l'aide d'une cuiller à égoutter, mettre le bœuf dans la mijoteuse.

2. Ajouter 250 ml (1 tasse) de bouillon au poêlon et bien remuer pour en décoller les sucs de cuisson. Verser le mélange de bouillon dans la mijoteuse. Ajouter les carottes, les pommes de terre, le céleri, l'oignon, les tomates (et leur jus), le reste du bouillon, la feuille de laurier, la sauce Worcestershire et le persil ; bien mélanger. Mettre le couvercle et faire cuire à basse température de 8 à 10 heures ou à haute température de 4 à 6 heures, jusqu'à ce que les légumes soient tendres et que le ragoût bouillonne. Retirer la feuille de laurier et la jeter.

3. Ajouter les pois. Mettre le couvercle et faire cuire à haute température 15 à 20 minutes de plus ou jusqu'à ce que ce soit légèrement épaissi et que les pois soient chauds. Saler et poivrer au goût.

Ragoût de bœuf à l'orange

(Voir photo, p. 160)

4 À 6 PORTIONS

Ce ragoût bien goûteux doit son goût incomparable au zeste d'orange et aux légumes d'automne colorés.

Trucs

- Pour faciliter la préparation de ce plat, procurez-vous des courges coupées d'avance dans la section des produits frais du supermarché.
- La réfrigération des restes de ragoût en améliore toujours la saveur (c'est pourquoi il goûte encore meilleur le lendemain). Le gras remontera à la surface et se solidifiera ; retirez-le avant de réchauffer le ragoût.

Le soir précédent

Cette recette peut être préparée jusqu'à 12 heures à l'avance. Suivez les directives de préparation et réfrigérez la cocotte et son contenu toute la nuit. Le lendemain, placez la cocotte dans la coque et faites cuire tel qu'il est indiqué.

50 ml	farine	1/4 de tasse
5 ml	sel	1 c. à thé
2 ml	poivre noir	1/2 c. à thé
1 kg	bœuf à ragoût, coupé en cubes de 2,5 cm (1 po)	2 lb
25 ml	huile végétale	2 c. à soupe
500 ml	bouillon de bœuf	2 tasses
2	oignons, hachés	2
2	grosses carottes, pelées et hachées	2
500 ml	courge musquée, pelée et coupée en cubes de 3,5 cm (1 1/2 po)	2 tasses
4	pommes de terre moyennes, pelées et hachées	4
250 ml	vin rouge	1 tasse
25 ml	concentré de tomates	2 c. à soupe
50 ml	persil frais, haché	1/4 de tasse
	OU	
25 ml	persil séché	2 c. à soupe
5 ml	zeste d'orange, râpé	1 c. à thé
5 ml	feuilles de romarin séché	1 c. à thé
	Persil frais, haché	

1. Dans un sac de plastique résistant, mélanger la farine, le sel et le poivre. Par petites quantités à la fois, bien enfariner les cubes de bœuf. Mettre dans une assiette. Dans un grand poêlon à revêtement antiadhésif, faire chauffer la moitié de l'huile à feu moyen-élevé. Faire dorer les cubes par petites quantités à la fois, en ajoutant de l'huile au besoin. À l'aide d'une cuiller à égoutter, mettre le bœuf dans la mijoteuse.

2. Ajouter 250 ml (1 tasse) de bouillon au poêlon et remuer pour en décoller les sucs de cuisson. Verser le mélange de bouillon dans la mijoteuse. Ajouter les oignons, les carottes, la courge et les pommes de terre.

3. Dans un bol, mélanger le vin rouge, le reste du bouillon, le concentré de tomates, le persil, le zeste d'orange et le romarin. Verser sur les légumes dans la mijoteuse et bien mélanger. Mettre le couvercle et laisser cuire à basse température de 8 à 10 heures ou à haute température de 4 à 6 heures. Servir garni de persil frais, haché.

Pain de viande aux trois fromages

4 À 6 PORTIONS

Si vous ne pouvez imaginer servir un pain de viande à des invités, essayez celui-ci. De plus, le fromage qu'il contient plaît énormément aux enfants. Veillez à le servir très chaud pendant que le fromage bouillonne encore.

Menu suggéré
- Pain de viande aux trois fromages
- Purée de pommes de terre
- Haricots verts à la vapeur
- Croustade aux pommes traditionnelle (voir recette, page 224) et crème glacée

1 kg	bœuf haché maigre	2 lb
1	gros oignon, haché finement	1
1/2	poivron vert, haché finement	1/2
125 ml	chapelure fine	1/2 tasse
5 ml	sel	1 c. à thé
2 ml	poivre noir	1/2 c. à thé
2 ml	paprika	1/2 c. à thé
2	œufs, légèrement battus	2
50 ml	lait	1/4 de tasse
5 ml	assaisonnement italien séché	1 c. à thé
75 ml	mozzarella, en dés de 1 cm (1/2 po)	1/3 de tasse
75 ml	fromage suisse, en dés de 1 cm (1/2 po)	1/3 de tasse
125 ml	parmesan frais, râpé	1/2 tasse

1. Plier en deux sur la longueur une feuille d'aluminium de 60 cm (2 pi) et en tapisser le fond et les parois de la cocotte.
2. Dans un grand bol, bien mélanger le bœuf, l'oignon, le poivron vert, la chapelure, le sel, le poivre et le paprika. Dans un petit bol, mélanger les œufs et le lait ; ajouter au mélange de viande. Ajouter l'assaisonnement italien, la mozzarella, le fromage suisse et le parmesan. Avec les mains, bien mélanger le tout et déposer en pressant dans la mijoteuse tapissée d'aluminium. Rabatttre les extrémités du papier sous le couvercle.
3. Mettre le couvercle et laisser cuire à basse température de 8 à 10 heures ou à haute température de 4 à 6 heures jusqu'à ce que les jus soient clairs lorsque le pain de viande est piqué à la fourchette et que les fromages bouillonnent. Servir immédiatement.

Porc et agneau

153

Cari d'agneau à l'indienne

4 À 6 PORTIONS

Trucs

- Accompagnez ce cari doux et savoureux de chutney à la mangue supplémentaire et d'un choix de condiments : oignons verts hachés, arachides concassées et noix de coco grillée. Ce plat est excellent servi sur un lit de riz basmati parfumé, un riz à grain long typique de l'Inde orientale.

- Le chutney à la mangue se trouve dans la section des condiments de la plupart des supermarchés.

- Le lait de coco en conserve est fait à partir de chair de la noix de coco ayant trempé et n'est pas le liquide qui se trouve à l'intérieur de la noix de coco. Vous en trouverez dans la section des aliments orientaux de la plupart des supermarchés ou dans les magasins d'alimentation orientale. Veillez à ne pas acheter de la crème de coco qui sert le plus couramment à faire des cocktails exotiques comme le pina colada — celle-ci est beaucoup trop sucrée pour les recettes de cari.

15 ml	huile végétale	1 c. à soupe
1	jarret d'agneau ou rôti de croupe de 1 kg (2 lb), bien paré et coupé en cubes de 2,5 cm (1 po)	1
25 ml	farine	2 c. à soupe
25 ml	cari	2 c. à soupe
2 ml	flocons de piment rouge	1/2 c. à thé
2 ml	paprika	1/2 c. à thé
2 ml	marjolaine séchée	1/2 c. à thé
250 ml	bouillon de poulet	1 tasse
2	grosses pommes Granny Smith, pelées, cœur enlevé et hachées grossièrement	2
2	branches de céleri, hachées grossièrement	2
2	oignons, hachés grossièrement	2
2	gousses d'ail, émincées	2
15 ml	gingembre frais, émincé	1 c. à soupe
400 ml	lait de coco	14 oz
5 ml	sel	1 c. à thé
50 ml	chutney à la mangue	1/4 de tasse
125 ml	raisins secs	1/2 tasse
75 ml	yogourt ou crème sure (crème aigre)	1/3 de tasse
5 ml	zeste de citron râpé	1 c. à thé

⏰ **Le soir précédent**
Cette recette peut être préparée jusqu'à 12 heures à l'avance. Suivez les directives de préparation et réfrigérez la cocotte et son contenu (sans ajouter le chutney, les raisins ni le zeste de citron) toute la nuit. Le lendemain, placez la cocotte dans la coque et faites cuire tel qu'il est indiqué.

1. Dans un grand poêlon à revêtement antiadhésif, faire chauffer l'huile à feu moyen-élevé. Ajouter l'agneau et faire dorer de 6 à 8 minutes.

2. Dans un petit bol, mélanger la farine, le cari, les flocons de piment rouge, le paprika et la marjolaine. Bien en saupoudrer les cubes d'agneau.

3. Ajouter le bouillon au poêlon et faire cuire en grattant le fond pour décoller les sucs de cuisson. Porter à ébullition, réduire le feu et laisser mijoter environ 5 minutes.

4. Mettre le mélange de viande dans la mijoteuse. Ajouter les pommes, le céleri, les oignons, l'ail, le gingembre, le lait de coco et le sel. Mettre le couvercle et faire cuire à basse température de 8 à 10 heures ou à haute température de 4 à 6 heures, jusqu'à ce que la viande soit tendre.

5. Mettre le cari dans un plat de service. Incorporer en remuant le chutney, les raisins, le yogourt et le zeste de citron. Servir immédiatement.

Porc barbecue sur petit pain

(Voir photo, p. 161)

8 PORTIONS

Recette idéale pour les pique-niques. Facile à préparer à l'avance (voir ci-dessous) et à servir au grand air aux membres de la famille et aux amis reconnaissants.

À préparer à l'avance
Faites mariner le porc jusqu'à 24 heures à l'avance. Faites cuire la viande pendant la nuit dans la mijoteuse, tranchez-la et remettez-la dans la sauce. Emballez la cocotte amovible de serviettes et fixez le couvercle à l'aide de bandes élastiques ; placez dans une boîte hermétique. Apportez au pique-nique et servez immédiatement.

Menu suggéré
- Porc barbecue sur petit pain
- Maïs en épi
- Salade de chou crémeuse
- Pouding brownie au fudge renversé (voir recette, page 240)

250 ml	ketchup	1 tasse
250 ml	sauce chili (maison ou du commerce)	1 tasse
50 ml	moutarde de Dijon	1/4 de tasse
25 ml	vinaigre de cidre ou vinaigre blanc	2 c. à soupe
15 ml	sauce Worcestershire	1 c. à soupe
2 ml	flocons de piment rouge	1/2 c. à thé
4	gousses d'ail, émincées	4
1	rôti de croupe de porc de 1,5 kg (3 lb), débarrassé de l'excès de gras	1
8	pains kaiser, tranchés en deux	8

1. Dans une casserole, mettre le ketchup, la sauce chili, la moutarde, le vinaigre, la sauce Worcestershire, les flocons de piment rouge et l'ail. Porter le mélange à ébullition à feu moyen-élevé, baisser le feu et laisser mijoter 5 minutes. Laisser refroidir.

2. Mettre le rôti dans un grand bol de verre ou dans un sac de plastique refermable. Verser la sauce sur le porc et laisser mariner toute la nuit au réfrigérateur.

3. Retirer le rôti de la marinade et mettre dans la mijoteuse. Ajouter 175 ml (3/4 de tasse) d'eau à la marinade, bien mélanger et verser sur le rôti dans la mijoteuse. Mettre le couvercle et faire cuire à basse température de 8 à 10 heures ou à haute température de 4 à 6 heures, jusqu'à ce que la viande soit tendre.

4. Retirer la viande de la sauce barbecue et laisser reposer 10 à 15 minutes avant de la couper en tranches minces. Disposer des tranches de viande sur une moitié de pain kaiser, ajouter un peu de sauce barbecue et recouvrir de l'autre moitié du pain kaiser.

Jambalaya tout simple

6 À 8 PORTIONS

Cette merveille en casserole a vu le jour dans le sud des États-Unis, à la Nouvelle-Orléans. La recette originale met en vedette un mélange de poulet, de saucisses et de crevettes.

Trucs

- Vous pouvez remplacer le jambon par de la saucisse épicée telle que de l'andouille, de la saucisse chorizo ou italienne épicée.
- Les tomates en conserve peuvent être remplacées par 500 ml (2 tasses) de la Sauce tomate à l'italienne (voir recette, page 114).

☕ Le soir précédent

Le jambalaya peut être préparé jusqu'à 12 heures à l'avance. Suivez les directives de préparation (sans ajouter les crevettes ni le poivron vert) et réfrigérez la cocotte et son contenu toute la nuit. Le lendemain, placez la cocotte dans la coque et faites cuire tel qu'il est indiqué.

1	gros oignon, haché finement	1
2	branches de céleri, hachées finement	2
3	gousses d'ail, hachées finement	3
550 ml	tomates italiennes en conserve, en dés avec leur jus	19 oz
400 ml	sauce tomate	14 oz
500 ml	jambon haché	2 tasses
25 ml	persil séché	2 c. à soupe
5 ml	thym séché	1 c. à thé
2 ml	sel	1/2 c. à thé
2 ml	flocons de piment rouge	1/2 c. à thé
1 ml	poivre noir	1/4 de c. à thé
375 g	crevettes moyennes, crues, décortiquées et déveinées	3/4 de lb
1	poivron vert moyen, haché grossièrement	1
	Riz cuit chaud	

1. Dans la mijoteuse, mettre l'oignon, le céleri, l'ail, les tomates (et leur jus), la sauce tomate, le jambon, le persil, le thym, le sel, les flocons de piment rouge et le poivre noir.

2. Mettre le couvercle et faire cuire à basse température de 6 à 8 heures ou à haute température de 3 à 4 heures jusqu'à ce que les légumes soient tendres.

3. Ajouter les crevettes et le poivron vert. Mettre le couvercle et faire cuire à basse température 15 à 20 minutes de plus ou jusqu'à ce que les crevettes soient roses et fermes. Servir sur un lit de riz chaud.

Pain d'agneau à la grecque avec tzatziki

4 PORTIONS

Truc

- Si le temps vous manque, procurez-vous du tzatziki du commerce. Sinon, préparez la sauce de cette recette tout de suite après avoir mis le pain d'agneau à cuire dans la mijoteuse. Pendant que le pain cuit, laissez la sauce reposer, avec un couvercle, dans le réfrigérateur pour qu'elle puisse développer ses arômes.

Menu suggéré

- Pain d'agneau à la grecque avec tzatziki
- Légumes grillés
- Riz pilaf
- Baklava

Le soir précédent

Le pain d'agneau peut être préparé jusqu'à 12 heures à l'avance. Suivez les directives de préparation et réfrigérez la cocotte et son contenu toute la nuit. Le lendemain, placez la cocotte dans la coque et faites cuire tel qu'il est indiqué.

1 kg	agneau haché	2 lb
125 ml	chapelure fine	1/2 tasse
1	oignon, haché finement	1
2	gousses d'ail, émincées	2
125 ml	yogourt nature	1/2 tasse
15 ml	jus de lime	1 c. à soupe
5 ml	coriandre moulue	1 c. à thé
5 ml	cumin moulu	1 c. à thé
2 ml	flocons de piment rouge	1/2 c. à thé
2 ml	sel	1/2 c. à thé
1	œuf, battu légèrement	1

TZATZIKI

250 ml	yogourt nature	1 tasse
2	gousses d'ail, émincées	2
5 ml	poivre noir	1 c. à thé
5 ml	menthe fraîche, hachée	1 c. à thé

1. Plier en deux sur la longueur, deux fois, une feuille de papier d'aluminium de 60 cm (2 pi) et en tapisser le fond et les parois de la cocotte.

2. Dans un grand bol, bien mélanger l'agneau, la chapelure, l'oignon, l'ail, le yogourt, le jus de lime, la coriandre, le cumin, les flocons de piment rouge, le sel et l'œuf. Mettre le mélange dans la cocotte graissée de la mijoteuse.

3. Mettre le couvercle et faire cuire à basse température de 8 à 10 heures

ou à haute température de 4 à 6 heures. Retirer le pain de la mijoteuse et laisser reposer 5 minutes avant de le trancher.

4. Tzatziki : dans un bol, bien mélanger le yogourt, l'ail, le poivre et la menthe. Réfrigérer pendant au moins 2 heures pour ensuite en napper le pain et servir.

Ragoût de jambon et de lentilles

8 PORTIONS

Trucs

- Les lentilles sont un aliment de base de la cuisine indienne et du Moyen-Orient. On en trouve des brunes, des rouges et des vertes. Je préfère les lentilles vertes pour ce plat étant donné qu'elles gardent davantage leur forme pendant le processus de cuisson lente.
- Servez avec des petits pains croûtés italiens et une bière froide.

Variante

Pour relever davantage ce plat, remplacez le jambon par de la saucisse fumée épicée.

☕ **Le soir précédent**

Cette recette peut être préparée jusqu'à 12 heures à l'avance. Suivez les directives de préparation (sans ajouter le persil) et réfrigérez la cocotte et son contenu toute la nuit. Le lendemain, placez la cocotte dans la coque et faites cuire tel qu'il est indiqué.

750 ml	jambon cuit haché	3 tasses
2	carottes, pelées et hachées finement	2
2	branches de céleri, hachées finement	2
1	oignon, haché finement	1
500 ml	lentilles vertes sèches	2 tasses
500 ml	bouillon de poulet	2 tasses
1 litre	eau	4 tasses
10 ml	paprika	2 c. à thé
5 ml	thym séché	1 c. à thé
50 ml	persil frais, haché	1/4 de tasse

1. Dans la mijoteuse, bien mélanger le jambon, les carottes, le céleri, l'oignon, les lentilles, le bouillon, l'eau, le paprika et le thym.

2. Mettre le couvercle et faire cuire à basse température de 6 à 8 heures ou à haute température de 3 à 4 heures jusqu'à ce que les légumes et les lentilles soient tendres. Ajouter le persil et servir.

Photos: Ragoût de bœuf à l'orange, p. 150
Page suivante: Casserole mexicaine de saucisses, p. 172

Côtes levées campagnardes à l'ail et au miel

4 PORTIONS

(COMME PLAT PRINCIPAL) OU

10 PORTIONS

(COMME AMUSE-GUEULE)

Trucs

- Pour en rehausser la saveur, mélangez les côtes grillées et la sauce dans un grand bol et laissez mariner au réfrigérateur pendant 1 heure. Déposez-les ensuite dans la mijoteuse et poursuivez à partir de l'étape 3.
- Pour nourrir un plus grand nombre de personnes (ou des affamés), doublez la quantité des ingrédients de la sauce et ajoutez 2,5 à 3 kg (5 à 6 lb) de côtes, coupées en portions de 2 côtes.
- Les côtes levées campagnardes sont les côtes de porc les plus viandeuses sur le marché, mais des côtes ordinaires feront très bien l'affaire pour cette recette. Pour attendrir, coupez les côtes en morceaux de 5 à 6 côtes et placez-les dans une grande marmite d'eau. Portez à ébullition, réduisez le feu et laissez mijoter de 30 à 45 minutes.

	Préchauffer le gril	
	Tôle à biscuits	
1,5 kg	**côtes de porc campagnardes, coupées en côtes individuelles**	**3 lb**
	Poivre noir fraîchement moulu	
250 ml	**sauce barbecue du commerce (de préférence à arôme de fumée)**	**1 tasse**
125 ml	**miel liquide**	**1/2 tasse**
50 ml	**vinaigre de vin rouge**	**1/4 de tasse**
4	**gousses d'ail, émincées**	**4**

1. Placer une grille du four à 15 cm (6 po) de la source de chaleur. Déposer les côtes sur une tôle à biscuits et bien poivrer. Faire griller les côtes, en les tournant une fois, pendant 15 minutes ou jusqu'à ce qu'elles soient dorées. Égoutter et déposer les côtes dans la mijoteuse.
2. Dans un bol, bien mélanger la sauce barbecue, le miel, le vinaigre et l'ail. Verser cette sauce sur les côtes dans la mijoteuse.
3. Mettre le couvercle et faire cuire, en remuant à deux reprises pendant la cuisson pour bien enrober les côtes de sauce, à basse température de 8 à 10 heures ou à haute température de 4 à 6 heures, jusqu'à ce que les côtes levées soient tendres et brunies par la sauce.

Photo : Porc barbecue sur petit pain, p. 156

Côtelettes de porc aux fruits d'hiver

4 PORTIONS

Le porc et les fruits séchés sont faits l'un pour l'autre. La présente recette en est la preuve délicieuse.

Truc

- Des paquets de fruits séchés sont vendus dans les supermarchés. Vous pouvez aussi faire votre propre mélange de pommes, pêches, poires, abricots et prunes séchées. Veillez à utiliser des fruits entiers séchés.

Variante

Utilisez du nectar d'abricot ou du jus de pomme au lieu du jus d'orange. La saveur sera différente, mais non moins délicieuse.

Menu suggéré

- Côtelettes de porc aux fruits d'hiver
- Riz vapeur
- Haricots verts
- Croustade aux canneberges (airelles) et aux pommes (voir recette, page 232)

10 ml	huile végétale	2 c. à thé
1 kg	côtelettes de porc dans l'épaule, parées	2 lb
250 ml	jus d'orange	1 tasse
5 ml	sauce Worcestershire	1 c. à thé
2 ml	gingembre moulu	1/2 c. à thé
2 ml	poivre de la Jamaïque moulu	1/2 c. à thé
2 ml	cannelle	1/2 c. à thé
375 g	fruits séchés mélangés	3/4 de lb

1. Dans un poêlon, faire chauffer l'huile à feu moyen-élevé. Ajouter les côtelettes de porc et faire dorer 5 minutes de chaque côté. Retirer les côtelettes du poêlon, les assécher avec du papier absorbant pour enlever tout excès d'huile.

2. Déposer les côtelettes dans la mijoteuse. Ajouter le jus d'orange, la sauce Worcestershire, le gingembre, le poivre de la Jamaïque, la cannelle et les fruits séchés.

3. Mettre le couvercle et faire cuire à basse température de 7 à 9 heures ou à haute température de 3 à 4 heures, jusqu'à ce que la viande soit tendre. Servir les côtelettes garnies de fruits.

Rôti de porc avec sauce piquante aux canneberges (airelles)

6 à 8 PORTIONS

Trucs

- Si vous n'arrivez pas à trouver des canneberges (airelles), utilisez des raisins secs. La sauce sera plus sucrée (et moins acidulée), mais tout aussi délicieuse.
- Il existe trois rôtis de porc de base : le filet, le jarret et l'épaule. Bien que le rôti de filet soit le plus tendre, il convient mal à la cuisson prolongée. Le rôti de soc est idéal — il est persillé et moins tendre, ce qui le rend parfait pour la cuisson à l'étouffée d'une journée entière.

Le soir précédent

Cette recette peut être préparée jusqu'à 12 à 24 heures à l'avance. Suivez les directives de préparation et réfrigérez la cocotte et son contenu toute la nuit sans ajouter la fécule de maïs ni les 60 ml (1/4 de tasse) de mélange de jus de canneberge. Le lendemain, placez la cocotte dans la coque et faites cuire tel qu'il est indiqué.

1	rôti de soc de 1 à 1,5 kg (2 à 3 lb)	1
250 ml	canneberges (airelles) séchées	1 tasse
125 ml	bouillon de poulet	1/2 tasse
120 ml	cocktail aux canneberges	1/2 tasse
	Zeste râpé d'une orange	
5 ml	gingembre moulu	1 c. à thé
25 ml	fécule de maïs	2 c. à soupe
	Sel et poivre au goût	

1. Déposer le rôti dans la mijoteuse. Dans un bol, bien mélanger les canneberges, le bouillon, 60 ml (1/4 de tasse) de cocktail aux canneberges, le zeste d'orange et le gingembre. Verser sur le rôti. Mettre le couvercle et faire cuire à basse température de 6 à 10 heures ou à haute température de 3 à 4 heures, jusqu'à ce que la viande soit tendre.

2. Retirer le rôti de la mijoteuse. Couvrir d'un papier d'aluminium pour conserver au chaud. Verser les jus de cuisson de la mijoteuse dans une casserole de taille moyenne et enlever le gras à la surface du liquide.

3. Dans un petit bol, bien mélanger la fécule de maïs et les 60 ml (1/4 de tasse) de cocktail aux canneberges restants pour éviter la formation de grumeaux. Ajouter à la casserole. À feu moyen-élevé, porter le mélange à ébullition en remuant continuellement jusqu'à épaississement. Saler et poivrer, et servir avec le rôti de porc.

Soc roulé à la mijoteuse

8 PORTIONS

Le soc roulé est la partie supérieure de l'épaule de porc (aussi connu sous le nom de rôti de soc) et il est conservé dans de la saumure. Sa saveur est très semblable à celle du jambon, mais il est beaucoup moins coûteux. Il est de la bonne taille pour une mijoteuse et est vendu dans la plupart des supermarchés. Si vous ne pouvez trouver un soc roulé, utilisez un jambon à la place.

Menu suggéré
- Soc roulé à la mijoteuse
- Patates douces au four
- Choux de Bruxelles à la vapeur
- Pommes au four

1	soc roulé en saumure ou un jambon fumé de 1,5 à 1,6 kg (3 à 3 1/2 lb)	1
6	grains de poivre	6
1	feuille de laurier	1
1	branche de céleri, hachée	1
1	pomme de terre, pelée et coupée en dés	1
	Boisson gazeuse au gingembre ou eau	
	Moutarde en grains	

1. Si on utilise un soc roulé, retirer l'emballage de plastique (mais pas la ficelle) et rincer pour enlever la saumure. Déposer le soc roulé ou le jambon dans la mijoteuse. Ajouter les grains de poivre, la feuille de laurier, le céleri et la pomme de terre. Ajouter la boisson gazeuse au gingembre jusqu'à 2,5 cm (1 po) du haut de la mijoteuse.

2. Mettre le couvercle et faire cuire à basse température de 8 à 10 heures ou à haute température de 4 à 6 heures, jusqu'à ce que la viande soit tendre et entièrement cuite.

3. Retirer la viande de la mijoteuse. Filtrer le liquide de cuisson, jetant les légumes et les assaisonnements ; le liquide peut servir à faire la Soupe aux haricots noirs (voir recette, page 58). Trancher la viande et servir accompagnée de votre moutarde en grains préférée.

Ragoût épicé de haricots blancs et de saucisses

4 PORTIONS

Trucs

- Ce plat est très épicé. Or, si vous n'êtes pas friand de mets épicés, utilisez plutôt de la saucisse italienne douce qui a autant de saveur sans tout le piquant. Servez ce ragoût avec une salade César bien croquante et un bon vin rouge corsé.
- Utilisez la Sauce tomate à l'italienne (voir recette, page 114) au lieu d'une sauce du commerce.
- Les poivrons verts peuvent devenir amers s'ils cuisent trop longtemps. Les ajouter à la fin de la cuisson leur permet d'amollir légèrement tout en conservant leur saveur sucrée.

500 g	saucisses italiennes fortes	1 lb
500 ml	sauce pour les pâtes contenant de gros morceaux	2 tasses
250 ml	bouillon de bœuf	1 tasse
2	branches de céleri, hachées	2
4	gousses d'ail, émincées	4
5 ml	assaisonnement italien	1 c. à thé
1 litre	haricots blancs en conserve, ou secs, trempés et cuits, rincés et égouttés	38 oz
1	poivron vert, haché grossièrement	1

1. Dans un poêlon à feu moyen-élevé, faire dorer les saucisses pendant 10 minutes. Les couper en morceaux de 2,5 cm (1 po).
2. À l'aide d'une cuiller à égoutter, mettre la saucisse dans la mijoteuse. Ajouter la sauce pour les pâtes, le bouillon, le céleri, l'ail, l'assaisonnement italien et les haricots blancs; bien mélanger.
3. Mettre le couvercle et faire cuire à basse température de 6 à 7 heures ou à haute température de 3 à 4 heures, jusqu'à ce que le ragoût soit chaud et bouillonnant. Incorporer le poivron vert. Mettre le couvercle et faire cuire 20 minutes de plus avant de servir.

Ragoût d'agneau sud-africain

6 À 8 PORTIONS

Une amie native d'Afrique du Sud, où l'agneau est un aliment de base, m'a transmis cette recette à saveur délicate que j'ai adaptée à la mijoteuse.

Trucs

- Dégustez ce ragoût avec un bon vin rouge d'Afrique du Sud et une belle miche de pain.
- Les meilleures pièces de viande pour un ragoût d'agneau proviennent de l'épaule ou des jarrets. Évitez les filets : ils sont très coûteux et cuisent trop rapidement.

Le soir précédent

Le ragoût peut être préparé 12 heures à l'avance. Suivez les directives de préparation (sans ajouter les pois verts, le zeste de citron et le persil) et réfrigérez la cocotte et son contenu toute la nuit. Le lendemain, placez la cocotte dans la coque et faites cuire tel qu'il est indiqué.

50 ml	farine	1/4 de tasse
2 ml	sel	1/2 c. à thé
1 ml	poivre noir	1/4 de c. à thé
1	rôti d'agneau de 500 g (1 lb) dans l'épaule, paré et coupé en cubes de 2,5 cm (1 po)	1
15 ml	huile végétale	1 c. à soupe
1	gros oignon, haché	1
3	carottes, pelées et hachées	3
3	grosses pommes de terre, pelées et hachées	3
375 ml	rutabaga haché	1 1/2 tasse
550 ml	tomates, hachées, avec leur jus	19 oz
500 ml	bouillon de bœuf	2 tasses
15 ml	sauce soja	1 c. à soupe
5 ml	sucre	1 c. à thé
250 ml	pois surgelés	1 tasse
15 ml	zeste de citron râpé	1 c. à soupe
15 ml	persil frais, haché	1 c. à soupe

1. Dans un bol ou un sac de plastique, mélanger la farine, le sel et le poivre. Par petites quantités à la fois, bien enfariner les cubes d'agneau. Mettre dans une assiette. Dans un grand poêlon à revêtement antiadhésif, faire chauffer l'huile à feu moyen-élevé. Ajouter l'agneau et faire dorer tous les côtés de 4 à 5 minutes. À l'aide d'une cuiller à égoutter, mettre les cubes dans la mijoteuse.

2. Ajouter l'oignon, les carottes, les pommes de terre, le rutabaga, les tomates (avec le jus), le bouillon, la sauce soja et le sucre ; bien

mélanger. Mettre le couvercle et faire cuire à basse température de 8 à 10 heures ou à haute température de 4 à 6 heures, jusqu'à ce que les légumes soient tendres et le ragoût bouillonnant.

3. Ajouter les pois. Mettre le couvercle et faire cuire à haute température 15 à 20 minutes de plus.

4. Servir à la louche dans des bols individuels et saupoudrer de zeste de citron et de persil.

Goulasch au porc

4 À 6 PORTIONS

Ne vous inquiétez pas de la quantité de paprika qui entre dans la préparation de cette recette ; elle donne une couleur riche à la sauce, sans trop l'épicer. Omettez la choucroute si vous voulez, mais celle-ci confère au plat une caractéristique européenne typique.

15 ml	huile végétale	1 c. à soupe
1	rôti d'épaule de porc de 1 kg (2 lb), coupé en cubes de 3,5 cm (1 1/2 po)	1
2	oignons, tranchés	2
2	gousses d'ail, émincées	2
50 ml	paprika	1/4 de tasse
2 ml	sel	1/2 c. à thé
2 ml	poivre noir	1/2 c. à thé
550 ml	choucroute en conserve, rincée et égouttée (facultatif)	19 oz
550 ml	tomates en conserve, hachées, avec leur jus	19 oz
250 ml	bouillon de bœuf	1 tasse
250 ml	crème sure (crème aigre) légère	1 tasse
	Nouilles aux œufs cuites et chaudes	
	Crème sure (crème aigre) (facultatif)	

1. Dans un grand poêlon à revêtement antiadhésif, faire chauffer l'huile à feu moyen-élevé. Ajouter les cubes de porc, les oignons et l'ail ; faire dorer tous les côtés pendant 4 à 5 minutes. Saupoudrer du paprika, de sel et de poivre ; faire cuire 1 minute de plus.

2. À l'aide d'une cuiller à égoutter, mettre le porc et les assaisonnements dans la mijoteuse. Ajouter la choucroute (au choix), les tomates (avec leur jus) et le bouillon. Mettre le couvercle et faire cuire à basse température de 8 à 10 heures ou à haute température de 4 à 6 heures, jusqu'à ce que la viande soit tendre.

3. Régler la mijoteuse à basse température. Incorporer la crème sure

Trucs

- Le paprika le plus savoureux provient de la Hongrie et se présente sous une forme très douce et sucrée jusqu'à extrêmement piquant. Cette recette utilise le paprika doux ; assurez-vous de bien vérifier l'étiquette du paprika que vous achetez. Si vous avez du paprika fort, n'utilisez que la moitié de la quantité indiquée.
- Essayez de remplacer la choucroute en conserve par de la fraîche. On en trouve dans la section des viandes fraîches ou de la charcuterie des magasins d'alimentation.

☾ Le soir précédent

Le ragoût peut être préparé 12 heures à l'avance. Suivez les directives de préparation (sans ajouter la crème sure) et réfrigérez la cocotte et son contenu toute la nuit. Le lendemain, placez la cocotte dans la coque et faites cuire tel qu'il est indiqué.

(crème aigre) et laisser cuire 5 minutes de plus. Servir sur des nouilles chaudes. Garnir de crème sure (crème aigre) supplémentaire, si désiré.

Ragoût de porc et de panais aux abricots

4 À 6 PORTIONS

Les fruits sont les compagnons par excellence de tout plat de porc. Dans ce cas-ci, les abricots séchés, les pruneaux et le jus d'orange rehaussent ce savoureux ragoût.

Trucs
- Lorsque vous faites dorer des cubes de viande dans de l'huile, évitez d'en faire cuire trop à la fois, sinon la viande aura tendance à cuire à la vapeur au lieu de dorer. Retournez les morceaux fréquemment et retirez-les rapidement à l'aide d'une cuiller à égoutter.
- L'ajout de quelques gouttes de vinaigre balsamique aux soupes et aux ragoûts aide à attendrir la viande et à rehausser la saveur des plats.

50 ml	farine	1/4 de tasse
2 ml	sel	1/2 c. à thé
2 ml	poivre noir	1/4 de c. à thé
1	rôti de soc de 1 kg (2 lb), désossé, coupé en cubes de 2,5 cm (1 po)	1
15 ml	huile végétale	1 c. à soupe
2	oignons moyens, hachés finement	2
2	gros panais, pelés et coupés en tranches de 2,5 cm (1 po)	2
2	carottes, pelées et coupées en tranches de 2,5 cm (1 po)	2
375 ml	bouillon de poulet	1 1/2 tasse
250 ml	jus d'orange	1 tasse
25 ml	vinaigre balsamique	2 c. à soupe
2 ml	poivre de la Jamaïque moulu	1/2 c. à thé
	Sel et poivre noir au goût	
125 ml	abricots séchés	1/2 tasse
125 ml	pruneaux séchés, dénoyautés	1/2 tasse

1. Dans un bol ou un sac de plastique, mélanger la farine, le sel et le poivre. Par petites quantités à la fois, enfariner les cubes de porc. Mettre dans une assiette. Dans un grand poêlon à revêtement antiadhésif, faire chauffer l'huile à feu moyen-élevé. Faire dorer de tous côtés les cubes de porc assaisonnés de 4 à 5 minutes.

2. À l'aide d'une cuiller à égoutter, mettre le porc dans la mijoteuse. Ajouter les oignons, les panais, les carottes, le bouillon, le jus d'orange,

🕐 **Le soir précédent**
Le ragoût peut être préparé 12 heures à l'avance. Suivez les directives de préparation (sans ajouter les abricots et les pruneaux) et réfrigérez la cocotte et son contenu toute la nuit. Le lendemain, placez la cocotte dans la coque et faites cuire tel qu'il est indiqué.

le vinaigre, le poivre de la Jamaïque, le sel et le poivre ; bien mélanger.

3. Mettre le couvercle et faire cuire à basse température de 8 à 10 heures ou à haute température de 4 à 6 heures, jusqu'à ce que les légumes soient tendres et que le ragoût bouillonne.

4. Ajouter les abricots et les pruneaux. Mettre le couvercle et faire cuire à haute température 15 à 20 minutes de plus ou jusqu'à ce que le ragoût soit bien réchauffé. Saler et poivrer au goût.

Casserole mexicaine de saucisses

(Voir photo, p. 160)

6 À 8 PORTIONS

Préparation 24 heures à l'avance
Une excellente recette pour un brunch ou un repas léger : saucisses et œufs avec une touche mexicaine. Tout le travail se fait le soir précédent. *Olé!*

Trucs
▪ Les piments verts en conserve se trouvent dans la section des aliments mexicains des supermarchés. Ils se vendent hachés ou entiers.
▪ Vous trouverez des tortillas de maïs dans la section de la charcuterie du supermarché ou là où l'on trouve des tortillas de farine. Si vous avez du mal à en trouver, utilisez des croustilles de tortilla. N'utilisez pas des tortillas de farine qui auront tendance à devenir pâteuses.

	Cocotte de la mijoteuse légèrement graissée	
1 kg	saucisses italiennes, enveloppes retirées	2 lb
250 g	piments verts hachés en conserve	1/2 lb
4	tortillas de maïs, coupées en lanières de 2,5 cm (1 po)	4
500 ml	Monterey Jack ou fromage de style mexicain, râpé	2 tasses
125 ml	lait	1/2 tasse
8	œufs	8
2 ml	cumin moulu	1/2 c. à thé
	Paprika	
1	tomate, tranchée mince	
	Salsa	
	Crème sure (crème aigre)	

1. Dans un grand poêlon à revêtement antiadhésif, faire cuire la chair à saucisses à feu moyen en la défaisant à l'aide d'une cuiller. Bien égoutter.
2. Mettre dans la cocotte graissée la moitié des piments verts, la moitié des lanières de tortillas, la moitié de la chair à saucisses cuite et ensuite la moitié du fromage. Répéter.
3. Dans un bol, battre ensemble le lait, les œufs et le cumin. Verser sur le mélange de chair à saucisses. Saupoudrer de paprika. Couvrir et réfrigérer pendant la nuit.
4. Le lendemain, insérer la cocotte dans la coque. Garnir des tranches de tomate. Mettre le couvercle et faire cuire à basse température de 7 à 9

Suggestion de menu

de brunch
- Casserole mexicaine de saucisses
- Kebabs de fruits frais
- Gâteau moka ou brioches à la cannelle
- Café/thé

heures ou à haute température de 3 à 4 heures. Enlever le gras présent à la surface. Servir la casserole garnie de salsa et de crème sure (crème aigre).

Casserole de légumes-racines et de saucisses

4 À 6 PORTIONS

Trucs

- Concoctez un menu anti-frissons avec cette casserole nourrissante servie avec des tranches épaisses de pain de seigle et des chopes de thé à l'orange épicé chaud.
- Le panais est un excellent légume d'hiver. Il a un goût légèrement sucré qui agrémente les soupes et les ragoûts.

Le soir précédent

Cette casserole peut être préparée 12 heures à l'avance. Suivez les directives de préparation (sans ajouter le persil) et réfrigérez la cocotte et son contenu toute la nuit. Le lendemain, placez la cocotte dans la coque et faites cuire tel qu'il est indiqué.

Menu suggéré

- Casserole de légumes-racines et de saucisses
- Salade verte croquante
- Pain de seigle
- Pommes au four

1	grosse pomme de terre, pelée et coupée en cubes de 1 cm (1/2 po)	1
1	grosse patate douce, pelée et coupée en cubes de 1 cm (1/2 po)	1
2	carottes moyennes, pelées et hachées grossièrement	2
1	panais moyen, pelé et haché grossièrement	1
1	oignon moyen, haché finement	1
500 g	saucisses fumées, tranchées	1 lb
550 ml	tomates étuvées en conserve, avec leur jus	19 oz
375 ml	bouillon de poulet	1 1/2 tasse
10 ml	sucre	2 c. à thé
2 ml	thym séché	1/2 c. à thé
1 ml	poivre noir	1/4 de c. à thé
50 ml	persil frais, haché	1/4 de tasse

1. Mettre dans la mijoteuse la pomme de terre, la patate douce, les carottes, le panais, l'oignon, les saucisses, les tomates (avec leur jus), le bouillon, le sucre, le thym et le poivre ; bien mélanger.
2. Mettre le couvercle et faire cuire à basse température de 7 à 9 heures ou à haute température de 3 à 4 heures, jusqu'à ce que les légumes soient tendres.
3. Ajouter le persil pendant les 10 à 15 dernières minutes de cuisson.

Volaille
et poisson
175

Coq au vin

4 À 6 PORTIONS

Trucs

- Voici une autre excellente recette pour vos repas d'invités. Il y a bien sûr du vin dans le coq au vin, mais j'ai aussi ajouté un peu de brandy pour le relever davantage. Vous pouvez aussi remplacer le vin rouge par du vin blanc.
- Le temps de cuisson d'une volaille peut être plus long dans le cas d'une mijoteuse plus grosse ou lorsque la proportion de viande brune l'emporte sur la viande blanche. Dans le cas de plats composés principalement de viande blanche, évitez de trop faire cuire.

À faire à l'avance

Ce plat est excellent lorsqu'il est préparé une journée à l'avance. Une fois cuit, le poulet devrait reposer dans la cocotte de la mijoteuse et être réfrigéré toute la nuit. Le poulet n'en sera que plus savoureux. Le lendemain, enlevez toute trace de gras à la surface. Enfournez la cocotte dans un four préchauffé à 180 ºC (350 ºF) pendant 20 à 30 minutes ou jusqu'à ce que le poulet soit entièrement chaud.

1	**poulet entier, coupé en morceaux (8 ou 9)**	1
50 ml	**farine**	1/4 de tasse
8	**tranches de bacon, hachées**	8
2	**oignons, tranchés**	2
250 g	**petits champignons blancs, nettoyés**	1/2 lb
16	**petites pommes de terre nouvelles, brossées**	16
4	**gousses d'ail, émincées**	4
50 ml	**persil frais haché**	1/4 de tasse
	OU	
25 ml	**persil séché**	2 c. à soupe
2 ml	**thym séché**	1/2 c. à thé
1	**feuille de laurier**	1
2 ml	**sel**	1/2 c. à thé
1 ml	**poivre noir**	1/4 de c. à thé
25 ml	**brandy**	2 c. à soupe
250 ml	**vin rouge**	1 tasse
250 ml	**bouillon de poulet**	1 tasse

1. Dans un bol, enfariner les morceaux de poulet et les mettre dans la mijoteuse.
2. Dans un poêlon, faire cuire le bacon à feu moyen jusqu'à ce qu'il soit croustillant. Faire égoutter sur un papier absorbant.
3. Mettre le bacon dans la mijoteuse. Ajouter le reste des ingrédients.
4. Mettre le couvercle et faire cuire à basse température de 6 à 8 heures, jusqu'à ce que le jus qui s'écoule du poulet piqué à la fourchette soit clair. Jeter la feuille de laurier avant de servir.

Poulet basque

4 PORTIONS

Laissez-vous emporter par les saveurs classiques de ce plat espagnol facile à cuisiner.

Trucs

- Le temps de cuisson d'une volaille peut être plus long dans le cas d'une mijoteuse plus grosse ou lorsque la proportion de viande brune l'emporte sur la viande blanche. Dans le cas de plats composés principalement de viande blanche, évitez de trop faire cuire.

☕ Le soir précédent

Parce que les morceaux de poulet sont dorés dans la poêle, ce plat peut être préparé le soir précédent (en omettant les poivrons et les olives). Suivez les directives de préparation et réfrigérez la cocotte et son contenu toute la nuit. Le lendemain, déposez la cocotte dans la coque et faites cuire tel qu'il est indiqué.

Menu suggéré

- Poulet basque
- Riz
- Salade verte

50 ml	farine	1/4 de tasse
2 ml	sel	1/2 c. à thé
1 ml	poivre noir	1/4 de c. à thé
0,5 ml	poivre de Cayenne	1/8 de c. à thé
4	cuisses de poulet séparées des pilons (peau retirée si désiré)	4
25 ml	huile végétale	2 c. à soupe
2	oignons, hachés grossièrement	2
8	tranches minces de prosciutto, débarrassées de l'excès de gras et hachées ou des feuillantines de jambon Forêt-Noire	8
800 ml	tomates en conserve, égouttées et hachées	28 oz
1	poivron rouge, haché grossièrement	1
1	poivron vert, haché grossièrement	1
12	olives dénoyautées, coupées en deux	12

1. Dans un grand bol ou un sac de plastique, mélanger la farine, le sel, le poivre et le poivre de Cayenne. Par petites quantités à la fois, enfariner les morceaux de poulet.
2. Dans un grand poêlon, faire chauffer l'huile à feu moyen-élevé. Faire dorer le poulet, quelques morceaux à la fois. Mettre le poulet dans la mijoteuse. Ajouter les oignons, le prosciutto et les tomates.
3. Mettre le couvercle et faire cuire à basse température de 6 à 8 heures ou à haute température de 4 à 6 heures, jusqu'à ce que le jus qui s'écoule du poulet piqué à la fourchette soit clair. Ajouter les poivrons rouge et vert. Mettre le couvercle et faire cuire à haute température de 20 à 25 minutes de plus. Servir garni d'olives noires.

Poulet au pot

4 À 6 PORTIONS

Les enfants adorent ce poulet simple poché, et vous l'aimerez sûrement tout autant. C'est une recette savoureuse et simple dont les ingrédients ne prennent que quelques minutes à préparer.

Trucs

- Servez le poulet et sa sauce sur un lit de riz.
- Si le poulet entier est trop gros pour la mijoteuse, coupez-le en morceaux à l'aide d'un couteau bien affûté.
- Le temps de cuisson d'une volaille peut être plus long dans le cas d'une mijoteuse plus grosse ou lorsque la proportion de viande brune l'emporte sur la viande blanche. Dans le cas de plats composés principalement de viande blanche, évitez de trop faire cuire.

1	poulet à rôtir d'environ 1,5 à 3 kg (3 à 6 lb)	1
500 ml	bouillon de poulet	2 tasses
	Eau pour couvrir	
1	branche de céleri, avec feuilles, coupée en deux	1
1	carotte, pelée et coupée en deux	1
1	petit oignon, pelé	1
5 ml	sel	1 c. à thé
6	grains de poivre entiers	6
3 ou 4	brins de persil frais	3 ou 4
	OU	
15 ml	persil séché	1 c. à soupe
2	brins de thym frais	2
	OU	
2 ml	thym séché	1/2 c. à thé
2	clous de girofle entiers	2
1	petite feuille de laurier	1

SAUCE AU PERSIL

50 ml	beurre ou margarine	1/4 de tasse
50 ml	farine	1/4 de tasse
500 ml	liquide de cuisson du poulet filtré ou bouillon de poulet	2 tasses
50 ml	persil frais haché	1/4 de tasse
	OU	
25 ml	persil séché	2 c. à soupe
	Sel et poivre au goût	

Variante

Pour une variante plus raffinée de cette recette, remplacer la sauce au persil par une Sauce au cari crémeuse: dans une casserole, faire fondre le beurre avec 5 ml (1 c. à thé) de cari. Ajouter la farine et faire cuire 1 minute en remuant continuellement. Incorporer en fouettant 375 ml (1 1/2 tasse) de liquide de cuisson filtré (de l'étape 3) et 125 ml (1/2 tasse) de crème à fouetter (crème riche), en remuant pendant 3 minutes ou jusqu'à ce que la sauce bouillonne et épaississe. Saler et poivrer au goût.

1. Rincer l'intérieur et l'extérieur du poulet et bien assécher (jeter le sac d'abats, mais garder le cou, si désiré). Mettre le poulet, et le cou si désiré, dans la mijoteuse. Verser le bouillon et ajouter suffisamment d'eau pour couvrir presque entièrement le poulet, ne laissant que 2,5 cm (1 po) entre le poulet et le haut de la mijoteuse. Ajouter le céleri, la carotte, l'oignon, le sel, les grains de poivre, le persil, le thym, les clous de girofle et la feuille de laurier

2. Mettre le couvercle et laisser cuire à basse température de 8 à 10 heures.

3. Retirer délicatement le poulet de son liquide de cuisson et le mettre dans une assiette; laisser reposer de 15 à 20 minutes. Filtrer à l'aide d'une passoire le liquide de cuisson, jetant les légumes et conservant le bouillon. Enlever toute trace de gras de la surface du liquide.

4. Sauce au persil: dans une casserole à feu moyen, faire fondre le beurre. Ajouter la farine en brassant continuellement et poursuivre la cuisson 1 minute. Ajouter graduellement en fouettant le liquide de cuisson filtré, en remuant pendant environ 5 minutes ou jusqu'à ce que la sauce bouille et épaississe. Retirer du feu et incorporer le persil. Saler et poivrer au goût. Napper le poulet de la sauce et servir.

Poulet rôti très arrosé

Bien que le rôtissage soit inévitablement associé au four, vous pouvez aussi «rôtir» dans une mijoteuse, et obtenir des résultats savoureux. Dans cette recette, l'ail crée un merveilleux arôme et parfume légèrement le poulet.

	Ficelle de cuisine	
1	**poulet à rôtir de 1,75 à 2 kg (3 1/2 à 4 lb)**	1
4 à 6	**gousses d'ail, coupées en moitié**	4 à 6
1	**oignon, coupé en quartiers**	1
1	**branche de céleri avec les feuilles, coupée en 3 morceaux**	1
5 ml	**thym séché**	1 c. à thé
2 ml	**paprika**	1/2 c. à thé
125 ml	**bouillon de poulet**	1/2 tasse
125 ml	**vin blanc sec**	1/2 tasse
15 ml	**sauce Worcestershire**	1 c. à soupe

SAUCE

15 ml	**beurre**	1 c. à soupe
15 ml	**farine**	1 c. à soupe
	Sel et poivre au goût	

1. Rincer l'intérieur et l'extérieur du poulet et assécher à l'aide de papier absorbant. Avec les doigts, décoller la peau de la chair de la poitrine du poulet pour former une pochette. Insérer les moitiés d'ail sous la peau. Mettre l'oignon et le céleri dans la cavité du poulet.
2. À l'aide de ficelle de cuisine, attacher les cuisses du poulet ensemble et les fixer près du corps de la volaille, en laissant de la ficelle dépasser de chaque côté. La ficelle supplémentaire permettra de sortir le poulet de la mijoteuse.

Trucs

- Pour un repas rapide et facile à préparer, ajoutez des carottes et des pommes de terre au fond de la mijoteuse au début de l'étape 3. Déposez-y le poulet et suivez les directives de la recette tel qu'il est indiqué.
- Si vous avez du thym frais, remplacez le thym séché de la recette par des brins de thym frais.
- Si le poulet entier est trop gros pour la mijoteuse, coupez-le en morceaux à l'aide d'un couteau bien affûté.
- Le temps de cuisson d'une volaille peut être plus long dans le cas d'une mijoteuse plus grosse ou lorsque la proportion de viande brune l'emporte sur la viande blanche. Dans le cas de plats composés principalement de viande blanche, évitez de trop faire cuire.

3. Mettre le poulet dans la mijoteuse, la poitrine vers le haut. Saupoudrer de thym et de paprika. Y verser le bouillon, le vin et la sauce Worcestershire. Mettre le couvercle et faire cuire à basse température de 8 à 10 heures, jusqu'à ce que le jus qui s'écoule du poulet piqué à la fourchette soit clair.

4. Retirer délicatement le poulet de la mijoteuse et déposer dans une assiette. Couvrir d'un papier d'aluminium pour garder au chaud. Si désiré, faire griller le poulet sous le gril du four pendant 5 à 7 minutes.

5. Sauce : verser 250 ml (1 tasse) de jus de cuisson de la mijoteuse dans une tasse graduée en verre ; enlever le gras à la surface. Dans une casserole, faire fondre le beurre à feu moyen-élevé. Ajouter la farine et faire cuire 1 minute en remuant. Ajouter le jus de cuisson mesuré et porter le mélange à ébullition ; faire cuire en remuant jusqu'à ce que la sauce soit lisse et épaissie. Saler et poivrer au goût. Napper le poulet de cette sauce.

Poulet en sauce miel-moutarde

4 PORTIONS

50 ml	beurre ou margarine	1/4 de tasse
125 ml	miel liquide	1/2 tasse
50 ml	moutarde de Dijon	1/4 de tasse
15 ml	cari	1 c. à soupe
5 ml	sel	1 c. à thé
8	morceaux de poulet (cuisses et poitrines), sans leur peau, si désiré	8

Trucs

- Si votre miel liquide a cristallisé ou que vous utilisez du miel en crème, placez le pot (ou la quantité désirée dans un bol) dans une casserole d'eau chaude et faites chauffer jusqu'à ce que le miel soit fondu. Ou faites-le chauffer au micro-ondes jusqu'à ce qu'il ait fondu.
- Lorsque vous mesurez le miel, frottez les parois intérieures de la tasse graduée d'un peu d'huile végétale — il est ainsi plus facile à verser et la tasse est plus facile à nettoyer.

Menu suggéré

- Poulet en sauce miel-moutarde
- Riz
- Courge poivrée au four
- Gâteau-pouding à la rhubarbe et aux bleuets (myrtilles) (voir recette, page 236)

1. Dans une petite casserole à feu moyen (ou dans un petit bol en verre au micro-ondes), faire fondre le beurre. Ajouter le miel, la moutarde, le cari et le sel; remuer jusqu'à ce que tout soit dissous.
2. Déposer le poulet dans la mijoteuse. Verser le mélange de la sauce miel-moutarde sur les morceaux. Mettre le couvercle et faire cuire à basse température de 6 à 8 heures, jusqu'à ce que le jus qui s'écoule du poulet piqué à la fourchette soit clair. Enlever tout gras de la surface de la sauce et en napper le poulet.

À noter : Le temps de cuisson d'une volaille peut être plus long dans le cas d'une mijoteuse plus grosse ou lorsque la proportion de viande brune l'emporte sur la viande blanche. Dans le cas de plats composés principalement de viande blanche, évitez de trop faire cuire.

Pilons citronnés aux fines herbes

4 À 6 PORTIONS

1,5 à 2 kg	pilons de poulet	3 à 4 lb
50 ml	jus de citron	1/4 de tasse
250 ml	jus de pomme ou vin blanc sec	1 tasse
15 ml	huile d'olive	1 c. à soupe
1	oignon, haché finement	1
2	gousses d'ail, émincées	2
5 ml	romarin séché, écrasé	1 c. à thé
2 ml	sel	1/2 c. à thé
1 ml	poivre noir	1/4 de c. à thé

Trucs

- Les enfants adorent ce plat fait avec du jus de pomme. Pour une variante plus «adulte», remplacez-le par du vin blanc.
- Écrasez bien les feuilles de romarin entre vos doigts avant de les ajouter à la marinade; ceci aide à en faire ressortir tout l'arôme.
- Le temps de cuisson d'une volaille peut être plus long dans le cas d'une mijoteuse plus grosse ou lorsque la proportion de viande brune l'emporte sur la viande blanche. Dans le cas de plats composés principalement de viande blanche, évitez de trop faire cuire.

Menu suggéré

- Pilons citronnés aux fines herbes
- Pâtes au beurre
- Légumes mixtes
- Pouding brownie au fudge renversé (voir recette, page 240)

1. Dans un grand bol ou un sac de plastique, mettre les pilons, le jus de citron, le jus de pomme, l'huile d'olive, l'oignon, l'ail, le romarin, le sel et le poivre. Laisser mariner de 4 à 6 heures ou toute la nuit au réfrigérateur.

2. Mettre le poulet et sa marinade dans la mijoteuse. Mettre le couvercle et faire cuire à basse température de 6 à 8 heures, jusqu'à ce que le poulet soit légèrement doré et que le jus qui s'en écoule lorsqu'il est piqué à la fourchette soit clair.

Pâté au poulet, aux légumes et à la courge

(Voir photo, p. 192)

6 PORTIONS

Truc

- Pour faire une purée de courge : coupez une courge Hubbard, une courge musquée ou poivrée de 1,5 kg (3 lb) en deux et retirez-en les graines et la peau blanche. Disposez le côté tranché dans une assiette allant au micro-ondes et couvrez d'une pellicule de plastique. Faites cuire au micro-ondes à intensité élevée de 8 à 12 minutes ou jusqu'à ce que les demi-courges soient tendres. Ou, si vous préférez, disposez-les dans une rôtissoire, le côté tranché vers le haut. Y verser suffisamment d'eau pour que le fond ait 2,5 cm (1 po) d'eau. Faites cuire au four à 200 ºC (400 ºF) de 30 à 60 minutes; laissez tiédir. Videz les moitiés de courge de leur chair à l'aide d'une cuiller et réduisez en purée à l'aide du robot culinaire ou pilez-la bien avec un pilon à pommes de terre. Ajoutez 15 ml (1 c. à soupe) de cassonade et 25 ml (2 c. à soupe) de beurre ou de margarine en mélangeant bien.

15 ml	huile végétale	1 c. à soupe
1 kg	poulet maigre haché	2 lb
2	oignons, hachés finement	2
2	gousses d'ail, émincées	2
1	carotte, pelée et râpé	1
250 ml	grains de maïs surgelés	1 tasse
150 ml	concentré de tomates	2/3 de tasse
175 ml	eau	3/4 de tasse
25 ml	persil séché	2 c. à soupe
	OU	
50 ml	persil frais	1/4 de tasse
10 ml	sauce Worcestershire	2 c. à thé
5 ml	thym séché	1 c. à thé
5 ml	paprika	1 c. à thé
5 ml	sel	1 c. à thé
2 ml	poivre noir	1/2 c. à thé
1 litre	purée de courge (voir *Truc* ci-contre)	4 tasses

⏲ Le soir précédent

Ce pâté peut être préparé le soir précédent. Suivez les directives de préparation de la recette et réfrigérez la cocotte et son contenu toute la nuit. Le lendemain insérez la cocotte dans la coque et faites cuire tel qu'il est indiqué.

1. Dans un grand poêlon à revêtement antiadhésif, faire chauffer l'huile à feu moyen. Ajouter le poulet haché et faire cuire, en défaisant la chair à l'aide d'une cuiller.

2. Ajouter les oignons, l'ail, la carotte et le maïs ; faire cuire 5 minutes ou jusqu'à ce que les légumes soient tendres. Incorporer en remuant le concentré de tomates, l'eau, le persil, la sauce Worcestershire, le thym, le paprika, le sel et le poivre ; bien mélanger. Mettre le mélange dans la mijoteuse et couvrir de purée de courge.

3. Mettre le couvercle et faire cuire à basse température de 6 à 8 heures ou à haute température de 3 à 4 heures, jusqu'à ce que le pâté soit bouillonnant et bien chaud.

Poulet aux prunes

Ne pensez pas que les prunes ne sont bonnes que pour faire des tartes — elles se marient très bien au poulet.

Trucs

- À une certaine époque, le vinaigre de cidre était le seul qui existait. De nos jours, il en existe plusieurs variétés. Dans cette recette, nous utilisons du vinaigre de vin de riz, un vinaigre léger, d'acidité faible et légèrement sucré, provenant du Japon, qui convient très bien aux recettes orientales. Le vinaigre de vin blanc (et les vinaigres aux fines herbes tels que celui à l'estragon) ajoute également une saveur exquise au poulet.
- Le temps de cuisson d'une volaille peut être plus long dans le cas d'une mijoteuse plus grosse ou lorsque la proportion de viande brune l'emporte sur la viande blanche. Dans le cas de plats composés principalement de viande blanche, évitez de trop faire cuire.

50 ml	farine	1/4 de tasse
2 ml	paprika	1/2 c. à thé
2 ml	sel	1/2 c. à thé
1 ml	poivre noir	1/4 de c. à thé
Pincée	poivre de Cayenne	Pincée
8	morceaux de poulet (poitrines ou cuisses), sans peau, si désiré	8
400 ml	prunes mauves	14 oz
5 ml	gingembre moulu	1 c. à thé
25 ml	sauce soja	2 c. à soupe
25 ml	vinaigre de riz ou vinaigre de vin blanc	2 c. à soupe
15 ml	cassonade	1 c. à soupe
25 ml	fécule de maïs	2 c. à soupe
25 ml	eau	2 c. à soupe
2 ml	cannelle	1/2 c. à thé

1. Dans un plat peu profond ou un sac de plastique, mélanger la farine, le paprika, le sel, le poivre et le poivre de Cayenne. Enfariner bien les morceaux de poulet. Déposer dans la mijoteuse.
2. Égoutter les prunes (conserver le jus), les hacher et jeter les noyaux. Ajouter à la mijoteuse. Dans un bol, bien mélanger le jus de prune, le gingembre, la sauce soja, le vinaigre et la cassonade. Verser sur le poulet et les prunes dans la mijoteuse.
3. Mettre le couvercle et laisser cuire à basse température de 6 à 8 heures, jusqu'à ce que le jus qui s'écoule du poulet piqué à la fourchette soit clair.

Variante

Poulet aux pêches : suivez la
recette tel qu'il est indiqué, mais
remplacez les prunes par des
demi-pêches en conserve.

Menu suggéré

- Poulet aux prunes
- Nouilles aux œufs au beurre
- Pois verts
- Tarte aux pommes chaude avec
  crème glacée

4. Dans un petit bol, mélanger la fécule de maïs, l'eau et la cannelle,
jusqu'à formation d'une pâte onctueuse. Ajouter à la mijoteuse, mettre
le couvercle et laisser cuire à haute température de 20 à 25 minutes ou
jusqu'à ce que la sauce ait épaissi.

Poulet à la polynésienne

4 PORTIONS

J'adore tout ce qui me rappelle les tropiques, surtout en plein cœur de l'hiver!

Trucs

- Servez ce plat sur un lit de riz parfumé.
- À la place des pois mange-tout, essayez de petits bouquets de brocoli. Dans les deux cas, le vert ajoute de la couleur à ce plat unique.
- Pour griller les amandes: les étaler sur une tôle à biscuits et faire cuire à 180 ºC (350 ºF) de 5 à 7 minutes ou jusqu'à ce qu'elles soient bien dorées et dégagent leur arôme.
- Le temps de cuisson d'une volaille peut être plus long dans le cas d'une mijoteuse plus grosse ou lorsque la proportion de viande brune l'emporte sur la viande blanche. Dans le cas de plats composés principalement de viande blanche, évitez de trop faire cuire.

50 ml	farine	1/4 de tasse
5 ml	cari	1 c. à thé
5 ml	moutarde sèche	1 c. à thé
2 ml	sel	1/2 c. à thé
1 ml	poivre noir	1/4 de c. à thé
8	cuisses de poulet, sans la peau, si désiré	8
550 ml	morceaux d'ananas en conserve, égouttés, jus réservé	19 oz
4	oignons verts, hachés	4
50 ml	sauce soja	1/4 de tasse
25 ml	xérès sec	2 c. à soupe
15 ml	cassonade	1 c. à soupe
25 ml	fécule de maïs	2 c. à soupe
375 ml	pois mange-tout, coupés en deux en diagonale	1 1/2 tasse
	Amandes en julienne, grillées	

1. Dans un bol ou un sac de plastique, mélanger la farine, le cari, 2 ml (1/2 c. à thé) de moutarde, le sel et le poivre. Enfariner le poulet et déposer dans la mijoteuse. Ajouter l'ananas.

2. Dans un bol, bien mélanger tout le jus d'ananas sauf 25 ml (2 c. à soupe), la sauce soja, le xérès, la cassonade et la moutarde sèche restante. Verser sur le poulet dans la mijoteuse.

3. Mettre le couvercle et faire cuire à basse température de 6 à 8 heures, jusqu'à ce que les jus soient clairs lorsque le poulet est piqué avec une fourchette.

À faire à l'avance

Pour accélérer le processus de préparation, faites cuire le riz à l'avance et réfrigérez-le ou congelez-le. Pour le réchauffer, ajoutez-y 15 à 25 ml (1 à 2 c. à soupe) d'eau ou de bouillon de poulet et faites chauffer dans de petits paquets d'aluminium au four ou dans un plat allant au micro-ondes.

4. Dans un bol, bien mélanger la fécule de maïs et le reste du jus d'ananas. Verser dans la mijoteuse. Ajouter les pois mange-tout. Mettre le couvercle et faire cuire à haute température de 15 à 20 minutes ou jusqu'à ce que la sauce ait épaissi. Servir garni d'amandes en julienne.

Pain de dinde et de champignons

4 À 6 PORTIONS

Les membres de ma famille aimeraient bien que je serve ce pain tous les soirs de la semaine; il se marie très bien à une belle purée de pommes de terre.

Variante

Préparez une variante plus raffinée de la sauce à l'étape 4 en faisant revenir 250 ml (1 tasse) de champignons hachés finement dans 15 ml (1 c. à soupe) de beurre jusqu'à ce que le jus soit évaporé; ajoutez le reste de la soupe et de l'eau tel qu'il est indiqué et portez à ébullition. Incorporez 15 ml (1 c. à soupe) de madère et une pincée de thym.

	Cocotte de la mijoteuse légèrement graissée	
750 g	dinde hachée	1 1/2 lb
285 ml	crème de champignons en conserve	10 oz
75 ml	chapelure fine	1/3 de tasse
1	œuf, légèrement battu	1
2	oignons verts, hachés finement	2
125 ml	champignons, hachés finement	1/2 tasse
15 ml	sauce Worcestershire	1 c. à soupe
5 ml	moutarde sèche	1 c. à thé
1 ml	poivre noir	1/4 de c. à thé
Goutte	sauce aux piments rouges	Goutte

GARNITURE

25 ml	chapelure fine	2 c. à soupe
15 ml	persil frais, haché	1 c. à soupe
	OU	
5 ml	persil séché	1 c. à thé

1. Plier en deux dans le sens de la longueur une feuille d'aluminium de 60 cm (2 pi) et en tapisser le fond et les parois de la cocotte.
2. Dans un grand bol, bien mélanger la dinde, la moitié de la crème de champignons (le reste servira à faire la sauce à l'étape 4), la chapelure, l'œuf, les oignons, les champignons, la sauce Worcestershire, la moutarde sèche, le poivre et la sauce aux piments rouges. Bien mouler cette préparation dans la mijoteuse.

☾Le soir précédent

Ce pain peut être préparé
12 heures à l'avance. Suivez les
directives de préparation de la
recette et réfrigérez la cocotte et
son contenu toute la nuit. Le
lendemain, insérez la cocotte
dans sa coque et faites cuire tel
qu'il est indiqué.

Menu suggéré

- Pain de dinde et de
  champignons
- Purée de pommes de terre
- Brocoli à la vapeur
- Mini-carottes
- Betteraves marinées

3. Garniture : dans un bol, mélanger la chapelure et le persil. Saupoudrer
   sur le pain. Mettre le couvercle et faire cuire à basse température de
   8 à 10 heures ou à haute température de 4 à 6 heures. Laisser reposer
   15 minutes avant de servir.
4. Faire chauffer le reste de la soupe avec 50 ml (1/4 de tasse) d'eau et
   servir comme accompagnement au pain.

Poitrine de dinde à l'orange

4 À 6 PORTIONS

Cette recette simple, mais succulente, met en valeur la poitrine de dinde fraîche que l'on trouve vendue individuellement dans les comptoirs des viandes fraîches des supermarchés.

Trucs
- Si vous préférez la viande brune, remplacer la poitrine de poulet par deux cuisses de dinde.
- Gardez l'œil ouvert pour les morceaux de dinde vendus individuellement après les longs week-ends de congés alors qu'ils sont offerts à prix réduit. Congelez-les afin de pouvoir les utiliser dans des plats comme celui-ci ou dans d'autres recettes.

Menu suggéré
- Poitrine de dinde à l'orange
- Pommes de terre nouvelles
- Pointes d'asperges bouillies
- Gâteau éponge au citron (voir recette, page 225)

1	poitrine de dinde avec l'os d'environ 1 à 1,5 kg (2 à 3 lb)	1
2 ml	thym séché	1/2 c. à thé
	Sel et poivre	
250 ml	jus d'orange	1 tasse
1	feuille de laurier	1

1. Assaisonner au goût la poitrine de dinde avec le thym, le sel et le poivre. Déposer dans la mijoteuse. Ajouter le jus d'orange et la feuille de laurier.

2. Mettre le couvercle et faire cuire à basse température de 6 à 8 heures, jusqu'à ce que la dinde soit tendre et ait perdu sa couleur rosée à l'intérieur. Retirer et jeter la feuille de laurier avant de découper la dinde.

À noter : Le temps de cuisson d'une volaille peut être plus long dans le cas d'une mijoteuse plus grosse ou lorsque la proportion de viande brune l'emporte sur la viande blanche. Dans le cas de plats composés principalement de viande blanche, évitez de trop faire cuire.

Photos : Pâté au poulet, aux légumes et à la courge, p. 184
Pâté au saumon facile avec sauce crémeuse à l'aneth, p. 201
Ragoût de poulet avec quenelles au romarin, p. 194

Cuisses de poulet à la thaï

4 PORTIONS

1 kg	cuisses de poulet, peau enlevée	2 lb
125 ml	bouillon de poulet	1/2 tasse
50 ml	beurre d'arachides	1/4 de tasse
50 ml	sauce soja	1/4 de tasse
25 ml	coriandre fraîche, hachée	2 c. à soupe
25 ml	jus de lime	2 c. à soupe
1	piment fort, épépiné et haché finement	1
	OU	
2 ml	poivre de Cayenne	1/2 c. à thé
10 ml	gingembre frais, émincé	2 c. à thé
	OU	
5 ml	gingembre séché	1 c. à thé
50 ml	arachides ou noix d'acajou broyées	1/4 de tasse
	Coriandre fraîche, hachée	

Trucs

- Pour conserver le gingembre frais, le peler et le mettre dans un pot. Verser du vin blanc pour le couvrir. Se servir du vin blanc infusé au gingembre pour parfumer d'autres plats de poulet.
- Cette recette peut aisément être doublée. Le beurre d'arachides crémeux du commerce convient très bien à cette recette. Mais si vous voulez que votre plat goûte davantage l'arachide (et contienne moins de sucre), servez-vous d'un beurre d'arachides naturel.

Le soir précédent

Ce plat peut être préparé 12 heures à l'avance. Suivez les directives de préparation de la recette (sans ajouter les arachides hachées) et réfrigérez la cocotte et son contenu toute la nuit. Le lendemain, insérez la cocotte dans sa coque et faites cuire tel qu'il est indiqué.

Menu suggéré

- Cuisses de poulet à la thaï
- Nouilles chinoises
- Pois mange-tout à la vapeur
- Sorbet à la mangue

1. Déposer les cuisses de poulet dans la mijoteuse. Dans un bol, bien mélanger le bouillon, le beurre d'arachides, la sauce soja, la coriandre, le jus de lime, le piment fort et le gingembre. Verser sur le poulet.
2. Mettre le couvercle et laisser cuire à basse température de 6 à 8 heures, jusqu'à ce que le jus qui s'écoule du poulet piqué à la fourchette soit clair.
3. Servir garni d'arachides broyées et de coriandre hachée.

À noter : Le temps de cuisson d'une volaille peut être plus long dans le cas d'une mijoteuse plus grosse ou lorsque la proportion de viande brune l'emporte sur la viande blanche. Dans le cas de plats composés principalement de viande blanche, évitez de trop faire cuire.

Ragoût de poulet avec quenelles au romarin

(Voir photo, p. 192)

4 À 6 PORTIONS

Voici le plat le plus réconfortant qui soit, idéal lorsque toute la famille est réunie autour de la table.

Le soir précédent

Le ragoût peut être préparé 12 à 24 heures à l'avance. Suivez les directives de préparation (sans ajouter les pois et les quenelles) et réfrigérez la cocotte et son contenu toute la nuit. Le lendemain, placez la cocotte dans la coque et faites cuire tel qu'il est indiqué.

Trucs

• Ce plat unique convient particulièrement bien aux mijoteuses de grand format qui donnent aux quenelles tout l'espace nécessaire pour cuire convenablement.

125 ml	farine	1/2 tasse
5 ml	sel	1 c. à thé
2 ml	poivre noir	1/2 c. à thé
1	poulet entier d'environ 1,5 kg (3 lb), coupé en morceaux	1
15 ml	huile végétale	1 c. à soupe
4	grosses carottes, pelées et tranchées en morceaux de 2,5 cm (1 po) d'épaisseur	4
2	branches de céleri, tranchées en morceaux de 1 cm (1/2 po)	2
1	oignon, tranché finement	1
5 ml	romarin séché	1 c. à thé
500 ml	bouillon de poulet	2 tasses
250 ml	pois surgelés	1 tasse

QUENELLES

250 ml	farine	1 tasse
10 ml	levure chimique	2 c. à thé
2 ml	romarin séché	1/2 c. à thé
2 ml	sel	1/2 c. à thé
125 ml	lait	1/2 tasse
1	œuf, légèrement battu	1
	Brins de romarin frais	

Trucs

- Pour épargner du temps, préparez les quenelles à partir de 500 ml (2 tasses) d'un mélange du commerce auquel vous ajouterez 2 ml (1/2 c. à thé) de romarin séché. Ajoutez 175 ml (3/4 de tasse) de lait et remuez jusqu'à formation de grumeaux. Poursuivez la recette tel qu'il est indiqué.

- Pour obtenir des quenelles plus légères, déposez la pâte sur les morceaux de poulet au lieu du liquide. Les quenelles cuiront ainsi à la vapeur et ne seront pas pâteuses à cause du liquide. De plus, pour assurer une cuisson à la vapeur optimale, veillez à ce que le ragoût soit bouillant.

- Le temps de cuisson d'une volaille peut être plus long dans le cas d'une mijoteuse plus grosse ou lorsque la proportion de viande brune l'emporte sur la viande blanche. Dans le cas de plats composés principalement de viande blanche, évitez de trop faire cuire.

1. Dans un bol ou un sac de plastique, mélanger la farine, le sel et le poivre. Par petites quantités à la fois, enfariner les morceaux de poulet. Mettre dans une assiette. Dans un grand poêlon à revêtement antiadhésif, faire chauffer l'huile à feu moyen-élevé. Faire dorer les morceaux de poulet pendant 8 à 10 minutes. Réserver.

2. Ajouter les carottes, le céleri, l'oignon et le romarin dans la mijoteuse. Déposer les morceaux de poulet sur les légumes. Verser 125 ml (1/2 tasse) de bouillon dans le poêlon et faire cuire à feu moyen, en grattant le fond pour décoller les sucs de cuisson. Verser le jus de cuisson dans la mijoteuse avec le reste du bouillon. Mettre le couvercle et faire cuire à basse température de 8 à 10 heures ou à haute température de 4 à 6 heures, jusqu'à ce que les légumes soient tendres et que le ragoût bouillonne. Ajouter les pois et remuer délicatement.

3. Quenelles : dans un bol, tamiser la farine, la levure chimique, le romarin et le sel. Dans une tasse graduée, mélanger le lait et l'œuf. Ajouter au mélange de farine en mélangeant légèrement (les grumeaux n'ont aucune importance). Déposer la pâte à quenelles sur les morceaux de poulet. Mettre le couvercle et faire cuire à haute température de 25 à 30 minutes ou jusqu'à ce qu'un cure-dent inséré dans le centre des quenelles en ressorte propre. Servir garni de brins de romarin frais.

Ragoût de dinde et légumes avec quenelles

4 À 6 PORTIONS

L'union de légumes, de dinde et de quenelles fait de ce ragoût un repas nourrissant et savoureux.

Trucs

- S'il n'y a pas de petites pommes de terre nouvelles, utilisez des pommes de terre de taille habituelle et coupez-les en morceaux de 5 cm (2 po).
- Bien que le bouillon de poulet maison soit plus savoureux, le temps nous manque parfois pour en faire. Le bouillon en conserve constitue une bonne alternative ; utilisez 285 ml (10 oz) de bouillon en conserve dilué avec une quantité égale d'eau. Évitez les poudres ou les cubes de bouillon concentré — ils sont extrêmement salés et ne donnent pas autant de saveur.

2	cuisses de dinde désossées et sans peau	2
	OU	
1	poitrine de dinde de 1 kg (2 lb), coupée en cubes de 2,5 cm (1 po)	1
6	petites pommes de terre nouvelles, brossées	6
4	carottes, pelées et hachées	4
3	branches de céleri, hachées	3
2	oignons, tranchés	2
375 ml	rutabaga, pelé et haché	1 1/2 tasse
50 ml	farine	1/4 de tasse
500 ml	bouillon de poulet	2 tasses
25 ml	concentré de tomates	2 c. à soupe
5 ml	marjolaine séchée	1 c. à thé
5 ml	sel	1 c. à thé
1 ml	poivre noir	1/4 de c. à thé
1	feuille de laurier	1
500 ml	mélange à quenelles	2 tasses
175 ml	lait	3/4 de tasse

1. Déposer la dinde, les pommes de terre, les carottes, le céleri, les oignons et le rutabaga dans la mijoteuse. Saupoudrer de farine et bien mélanger. Dans un bol, mélanger le bouillon, le concentré de tomates, la marjolaine, le sel et le poivre ; verser dans la mijoteuse. Remuer pour bien mélanger les ingrédients ; ajouter la feuille de laurier.

2. Mettre le couvercle et faire cuire à basse température de 6 à 8 heures ou à haute température de 4 à 6 heures, jusqu'à ce que les légumes soient

Trucs

- Désosser une cuisse de dinde : déposez la cuisse sur une planche à découper. À l'aide d'un couteau affûté, coupez la chair jusqu'à l'os, ensuite faites courir la lame le long de l'os. Pour libérer les extrémités, faites glisser la lame sous l'os, jusqu'à la moitié de sa longueur. Coupez en direction opposée à votre main en détachant une extrémité de l'os de sa chair. Faites tourner la cuisse sur elle-même, soulevez l'extrémité détachée avec une main et détachez l'autre extrémité avec la lame.

tendres et que le ragoût bouillonne. Retirer la feuille de laurier et la jeter.

3. Dans un bol, mélanger le lait et le mélange à quenelles. Remuer à l'aide d'une fourchette pour obtenir une pâte grumeleuse (ne pas trop mélanger — les grumeaux n'ont aucune importance). Déposer à la cuiller la pâte sur le ragoût chaud. Mettre le couvercle et faire cuire à haute température de 20 à 25 minutes ou jusqu'à ce qu'un cure-dent inséré au centre d'une quenelle en ressorte propre.

À noter : Le temps de cuisson d'une volaille peut être plus long dans le cas d'une mijoteuse plus grosse ou lorsque la proportion de viande brune l'emporte sur la viande blanche. Dans le cas de plats composés principalement de viande blanche, évitez de trop faire cuire.

Ragoût de fête au poulet et à la saucisse

8 PORTIONS

Trucs

- Ce plat est idéal lorsque la maison est remplie d'invités et que vous ne voulez pas passer trop de temps à la cuisine. Pour cette quantité, une mijoteuse de grand format (6 litres) est idéale. Si vous disposez d'une mijoteuse plus petite (ou si vous avez un moins grand nombre d'appétits à combler), il vous suffit de réduire de moitié les quantités.

- Le temps de cuisson d'une volaille peut être plus long dans le cas d'une mijoteuse plus grosse ou lorsque la proportion de viande brune l'emporte sur la viande blanche. Dans le cas de plats composés principalement de viande blanche, évitez de trop faire cuire.

500 g	saucisses italiennes fortes	1 lb
50 ml	farine	1/4 de tasse
2 ml	sel	1/2 c. à thé
1 ml	poivre noir	1/4 de c. à thé
1,5 à 2 kg	cuisses de poulet, séparées des pilons, peau enlevée, si désiré	3 à 4 lb
4	carottes, pelées et hachées	4
2	oignons, tranchés	2
3	grosses gousses d'ail, tranchées en deux	3
800 ml	tomates italiennes en conserve, égouttées et coupées en quartiers	28 oz
125 ml	bouillon de poulet	1/2 tasse
10 ml	assaisonnement italien séché	2 c. à thé
5 ml	moutarde sèche	1 c. à thé
1	poivron jaune, coupé en lanières	1
1	poivron rouge, coupé en lanières	1
2	petits zucchinis, tranchés	2

1. Dans un grand poêlon à revêtement antiadhésif, faire dorer les saucisses de 6 à 8 minutes de tous les côtés à feu moyen-élevé. Couper en tranches de 2,5 cm (1 po) et mettre dans la mijoteuse.

2. Dans un bol ou sac de plastique, mélanger la farine, le sel et le poivre. Par petites quantités à la fois, enfariner le poulet. Mettre le poulet dans la mijoteuse. Ajouter les carottes, les oignons, l'ail et les tomates.

3. Dans un bol, bien mélanger le bouillon, l'assaisonnement italien et la moutarde sèche. Verser dans la mijoteuse.

Le soir précédent

Le ragoût peut être préparé le soir précédent. Suivez les directives de préparation (sans ajouter les poivrons et les zucchinis) et réfrigérez la cocotte et son contenu toute la nuit. Le lendemain, placez la cocotte dans la coque et faites cuire tel qu'il est indiqué.

4. Mettre le couvercle et faire cuire à basse température de 6 à 8 heures, jusqu'à ce que les carottes soient tendres et que le ragoût bouillonne. Ajouter les poivrons jaune et rouge et les zucchinis. Mettre le couvercle et faire cuire à haute température 15 à 20 minutes de plus avant de servir.

Cuisses de poulet à la toscane

8 PORTIONS

Une sauce tomate épicée rehausse cette recette d'inspiration italienne. Ajoutez beaucoup de poivre et servez les cuisses accompagnées d'un bon vin italien corsé.

Trucs

- Les tomates séchées au soleil peuvent être achetées séchées ou en pots, trempant dans l'huile. Elles ajoutent une saveur et une texture particulières à bon nombre de plats.
- Le temps de cuisson d'une volaille peut être plus long dans le cas d'une mijoteuse plus grosse ou lorsque la proportion de viande brune l'emporte sur la viande blanche. Dans le cas de plats composés principalement de viande blanche, évitez de trop faire cuire.

Menu suggéré

- Cuisses de poulet à la toscane
- Pâtes au beurre
- Brocoli à la vapeur
- Crème glacée au cappuccino

50 ml	farine	1/4 de tasse
2 ml	sel	1/2 c. à thé
1 ml	poivre noir	1/4 de c. à thé
8	cuisses de poulet, pilons séparés, peau enlevée, si désiré	8
2	oignons rouges, tranchés	2
6	gousses d'ail, émincées	6
550 ml	tomates en conserve, hachées, avec leur jus	19 oz
55 g	filets d'anchois en conserve, égouttés et hachés	2 oz
45 ml	tomates séchées au soleil (voir *Trucs* ci-contre)	3 c. à soupe
25 ml	vinaigre balsamique	2 c. à soupe
10 ml	assaisonnement italien séché	2 c. à thé
75 ml	câpres égouttées	1/3 de tasse
125 ml	olives noires dénoyautées	1/2 tasse

1. Dans un bol ou un sac de plastique, mélanger la farine, le sel et le poivre. Par petites quantités à la fois, enfariner le poulet. Déposer dans la mijoteuse. Ajouter les oignons, l'ail, les tomates (et leur jus), les anchois, les tomates séchées, le vinaigre et l'assaisonnement italien.

2. Mettre le couvercle et faire cuire à basse température de 6 à 8 heures, jusqu'à ce que le jus qui s'écoule du poulet piqué à la fourchette soit clair.

3. Ajouter les câpres et les olives. Mettre le couvercle et faire cuire à haute température de 10 à 15 minutes avant de servir.

Pâté au saumon facile avec sauce crémeuse à l'aneth

(Voir photo, p. 192)

4 À 6 PORTIONS

L'une des spécialités de ma mère (et l'un de nos plats préférés) était son pâté au saumon. Cette variante à la mijoteuse est facile à faire et à préparer. Bien sûr, il doit être servi avec des petits pois tout chauds — indispensables —, selon maman!

Trucs
- Pour un pâté économique, utilisez 200 g (7 oz) de saumon sockeye et 200 g (7 oz) de saumon rose moins coûteux.
- Pour faire un pâté plus gros, doublez la quantité de tous les ingrédients. Ce pâté constitue un excellent repas complet lorsqu'il est accompagné de pommes de terre nouvelles bouillies, de pois verts et d'asperges, et d'un pouding au citron comme dessert.

	Cocotte de la mijoteuse légèrement graissée	
400 g	**saumon sockeye, égoutté et peau retirée**	14 oz
50 ml	**craquelins salés, finement écrasés**	1/4 de tasse
1	**petit oignon, haché finement**	1
1	**œuf, légèrement battu**	1
25 ml	**lait ou crème légère (5%)**	2 c. à soupe
15 ml	**jus de citron**	1 c. à soupe
15 ml	**persil frais, haché**	1 c. à soupe
	OU	
5 ml	**persil séché**	1 c. à thé
15 ml	**aneth frais, haché**	1 c. à soupe
	OU	
5 ml	**aneth séché**	1 c. à thé
2 ml	**poivre noir**	1/2 c. à thé

SAUCE CRÉMEUSE À L'ANETH

15 ml	**beurre ou margarine**	1 c. à soupe
15 ml	**farine**	1 c. à soupe
2 ml	**sel**	1/2 c. à thé
1 ml	**poivre noir**	1/4 de c. à thé
250 ml	**lait**	1 tasse
25 ml	**aneth frais haché**	2 c. à soupe
	OU	
10 ml	**aneth séché**	2 c. à thé

☾ Le soir précédent

Cette recette peut être préparée 12 heures à l'avance. Suivez les directives de préparation et réfrigérez la cocotte et son contenu toute la nuit. Le lendemain, placez la cocotte dans la coque et faites cuire tel qu'il est indiqué.

1. Plier en deux dans le sens de la longueur une feuille d'aluminium de 60 cm (2 pi) et en tapisser le fond et les parois légèrement graissés de la cocotte. Mettre dans un bol le saumon, les craquelins écrasés, l'oignon, l'œuf, le lait, le jus de citron, le persil, l'aneth et le poivre. À l'aide d'une fourchette ou d'une cuiller de bois, mélanger délicatement jusqu'à ce que ce soit homogène. Presser uniformément le mélange dans la cocotte tapissée de papier d'aluminium. Rentrer les extrémités du papier d'aluminium sous le couvercle. (Dans le cas d'une grosse mijoteuse de forme ovale, on peut donner au mélange de saumon la forme d'un pain que l'on peut déposer sur des poignées faites d'aluminium.)

2. Mettre le couvercle et faire cuire à basse température de 4 à 6 heures ou à haute température de 2 à 2 1/2 heures. Pour retirer le pâté de la mijoteuse, éteindre la mijoteuse et laisser reposer le pâté 5 minutes. Faire glisser la lame d'un couteau entre le pourtour du pâté et la paroi de la cocotte et soulever le pâté avec le papier, retirer le papier et déposer le pâté dans une assiette de service.

3. Sauce crémeuse à l'aneth : dans une casserole, faire fondre le beurre à feu moyen. Ajouter la farine, le sel et le poivre ; faire cuire, en brassant, pendant 1 minute. Incorporer graduellement le lait en fouettant et faire cuire en brassant continuellement pendant 5 minutes, ou jusqu'à ce que la sauce bouille et épaississe. Incorporer l'aneth. Napper le pâté au saumon de sauce et servir.

Casserole au thon préférée des enfants

4 À 6 PORTIONS

Personne ne peut résister à ce plat familial classique. Ici, la sauce à la crème traditionnelle (et salée) a été remplacée par une sauce au fromage légère. Lorsque mes enfants ont goûté à ce plat la première fois, ils en ont redemandé. C'est donc une recette à conserver.

Trucs

- Servez cette casserole avec une salade verte bien croquante.
- Le lait concentré résiste très bien à la cuisson lente et ne caille pas. Dans cette recette, vous pouvez utiliser du lait écrémé ou partiellement écrémé. Ne confondez pas ce lait et le lait « concentré sucré » qui entre dans la confection de desserts et de sucreries.

	Cocotte de la mijoteuse légèrement graissée	
15 ml	beurre ou margarine	1 c. à soupe
250 g	champignons, tranchés ou hachés finement	1/2 lb
1	oignon, haché finement	1
25 ml	farine	2 c. à soupe
250 ml	bouillon de poulet	1 tasse
385 ml	lait concentré	13 oz
125 g	fromage à la crème léger, coupé en cubes de 1 cm (1/2 po)	1/4 de lb
180 g	thon blanc, égoutté et déchiqueté	6 oz
250 ml	pois surgelés	1 tasse
	Sel et poivre au goût	
250 g	pâtes penne ou rotini, non cuites	1/2 lb

GARNITURE

125 ml	flocons de maïs, écrasés	1/2 tasse
15 ml	beurre fondu	1 c. à soupe
250 ml	cheddar, râpé	1 tasse

1. Dans un grand poêlon à revêtement antiadhésif, faire fondre le beurre à feu moyen. Ajouter les champignons et l'oignon ; faire cuire pendant 5 minutes, ou jusqu'à ce que les champignons aient relâché leur jus et que l'oignon soit tendre.

2. Ajouter la farine en mélangeant bien. Verser le bouillon et le lait concentré. Porter le mélange à ébullition en remuant continuellement jusqu'à épaississement. Incorporer le fromage à la crème en brassant

À faire à l'avance

Cette recette peut être préparée (sans la garniture) 12 heures à l'avance. Suivez les directives de préparation et réfrigérez la cocotte toute la nuit. Le lendemain, placez la cocotte dans la coque et faites cuire tel qu'il est indiqué.

Menu suggéré

- Casserole au thon préférée des enfants
- Salade verte
- Croustade aux canneberges (airelles) et pommes (voir recette, page 232)

jusqu'à ce qu'il soit fondu. Ajouter le thon et les pois, et bien mélanger. Retirer du feu. Saler et poivrer au goût.

3. Pendant ce temps, faire cuire les pâtes dans une marmite d'eau bouillante salée selon les indications sur le paquet ou jusqu'à ce qu'elles soient *al dente*. Égoutter et incorporer au mélange de thon. Verser le tout dans la mijoteuse.

4. Garniture : dans un bol, mélanger les flocons de maïs écrasés et le beurre fondu. Ajouter le cheddar râpé en mélangeant bien. En parsemer les pâtes dans la mijoteuse. Mettre le couvercle et faire cuire à basse température de 4 à 6 heures ou à haute température de 1 1/2 à 2 heures, jusqu'à ce que la casserole soit bien chaude et bouillonnante.

Légumes, céréales et plats d'accompagnement

205

Gratin d'oignons caramélisés et de pommes

4 À 6 PORTIONS

Si vous aimez les oignons en crème, vous raffolerez de ce plat somptueux. Le secret de sa couleur foncée et de son goût riche provient de la caramélisation des oignons.

Trucs

- Servez comme plat d'accompagnement à un succulent poulet ou dindon rôti, ou une juteuse côte de bœuf.
- Des oignons sans larmes : évitez le problème en mettant les oignons au congélateur quelques minutes avant de les hacher.

	Cocotte de la mijoteuse légèrement graissée	
25 ml	beurre ou margarine	2 c. à soupe
4	gros oignons, tranchés	4
15 ml	sucre	1 c. à soupe
250 g	champignons, tranchés	1/2 lb
1	pomme Granny Smith, pelée, cœur enlevé et hachée finement	1
25 ml	farine	2 c. à soupe
175 ml	bouillon de poulet	3/4 de tasse
50 ml	fromage à la crème léger, amolli	1/4 de tasse
25 ml	xérès sec	2 c. à soupe
2 ml	sel	1/2 c. à thé
1 ml	poivre noir	1/4 de c. à thé
125 ml	amandes, tranchées et grillées	1/2 tasse
1 ml	paprika	1/4 de c. à thé

1. Dans un grand poêlon, faire fondre le beurre à feu moyen. Ajouter les oignons et le sucre. Mettre le couvercle et faire cuire, en remuant de temps à autre, de 12 à 15 minutes, ou jusqu'à ce que les oignons soient amollis et bien colorés. À l'aide d'une cuiller à égoutter, retirer du poêlon et réserver.

2. Dans le même poêlon, ajouter les champignons, la pomme et 15 ml (1 c. à soupe) de beurre supplémentaire, si nécessaire. Faire cuire, en remuant, de 6 à 8 minutes, ou jusqu'à ce que les champignons aient amolli et relâché leur eau. Incorporer la farine en remuant, ensuite le bouillon. Porter le mélange à ébullition et faire cuire, en remuant

Trucs

- Griller des amandes : étalez des amandes sur une tôle à biscuits et faites griller au four, en remuant une fois ou deux, pendant 7 ou 8 minutes dans un four chauffé à 180 °C (375 °F), ou jusqu'à ce qu'elles soient dorées et dégagent leur arôme. Retirez du four et laissez refroidir complètement.

continuellement, jusqu'à épaississement. Incorporer le fromage à la crème et mélanger jusqu'à ce qu'il soit fondu. Retirer du feu. Incorporer, en brassant, le xérès, le sel, le poivre et les oignons caramélisés.

3. Mettre le mélange aux oignons dans la cocotte graissée et parsemer d'amandes grillées et saupoudrer de paprika. Mettre le couvercle et faire cuire à basse température de 6 à 8 heures ou à haute température de 3 à 4 heures, jusqu'à ce que le gratin soit pris et bien chaud.

Chou rouge acidulé aux pommes

6 PORTIONS

Ce plat d'accompagnement est excellent avec n'importe quel repas, mais surtout avec du poulet, du porc ou des saucisses.

Trucs

- Ne vous inquiétez pas du temps de cuisson de cette recette — le chou peut cuire à la vapeur à basse température la journée durant.
- Si vous utilisez un robot culinaire pour le chou, servez-vous-en aussi pour l'oignon et les pommes —, vous épargnerez ainsi beaucoup de temps.
- Les restes de chou peuvent être congelés. Utilisez des contenants qui peuvent aller au congélateur et congelez-les pendant un maximum de 3 mois. Pour réchauffer, passez le chou au micro-ondes à intensité maximale jusqu'à ce qu'il soit chaud.
- Rectifiez la teneur en sucre et en vinaigre au goût.
- En plus d'intensifier la saveur du chou rouge, le vinaigre contribue aussi à en conserver la couleur.

1,5 kg/2,5 litres	chou rouge, déchiqueté	3 lb/10 tasses
2	pommes Granny Smith, pelées, cœur enlevé et tranchées mince	2
1	oignon, tranché	1
50 ml	vinaigre de vin rouge	1/4 de tasse
50 ml	cassonade tassée	1/4 de tasse
25 ml	beurre ou margarine	2 c. à soupe
125 ml	eau	1/2 tasse
5 ml	sel	1 c. à thé
5 ml	graines de céleri	1 c. à thé
2 ml	poivre noir	1/2 c. à thé

1. Dans la mijoteuse, mélanger le chou, les pommes et les tranches d'oignon.
2. Dans une casserole à feu moyen-élevé, mélanger le vinaigre, la cassonade, le beurre, l'eau, le sel, les graines de céleri et le poivre. Porter le mélange à ébullition, baisser le feu et laisser mijoter, 1 minute ou jusqu'à ce que le beurre soit fondu et la cassonade dissoute. Verser sur le mélange au chou dans la mijoteuse.
3. Mettre le couvercle et faire cuire à basse température de 4 à 6 heures, ou jusqu'à ce que le chou soit tendre.

Légumes-racines au vinaigre balsamique

4 À 6 PORTIONS

J'adore comment le braisage fait ressortir le goût sucré des légumes-racines de ce plat. Il accompagne merveilleusement bien n'importe quel rôti.

Truc

- Le meilleur vinaigre balsamique qui soit est originaire d'Italie, où il est vieilli pendant des années dans des barils de bois. Sa saveur aigre-douce et son arôme vinifié et riche en font un ingrédient superbe dans la préparation de vinaigrettes ou comme ajout dans des soupes et ragoûts nourrissants. En fait, les vinaigres balsamiques «grands crus» sont souvent plus coûteux que le vin. Les Italiens les dégustent aussi en digestifs.

4 à 6	pommes de terre moyennes, pelées et coupées en morceaux de 5 cm (2 po)	4 à 6
3	grosses carottes, pelées et hachées	3
2	gros panais, pelés et hachés	2
2	oignons moyens, coupés en quartiers	2
250 ml	bouillon de légumes ou de poulet	1 tasse
50 ml	vinaigre balsamique	1/4 de tasse
25 ml	cassonade	2 c. à soupe
2 ml	sel	1/2 c. à thé
1 ml	poivre noir	1/4 de c. à thé

1. Dans la mijoteuse, mélanger les pommes de terre, les carottes, les panais et les oignons.

2. Dans un bol, bien mélanger le bouillon, le vinaigre, la cassonade, le sel et le poivre. Verser sur les légumes dans la mijoteuse.

3. Mettre le couvercle et faire cuire, en remuant une fois par heure, à basse température de 8 à 10 heures ou à haute température de 4 à 6 heures, jusqu'à ce que les légumes soient tendres.

Gratin de pommes de terre au cheddar

6 PORTIONS

Voici sûrement le plat de pommes de terre préféré de tous. Il accompagne bien le jambon, le porc, le poulet ou la dinde. Les amateurs de pommes de terre lui donnent une note parfaite!

Truc

- Si vous ne disposez pas d'un mélangeur ou d'un robot culinaire, il vous suffit de hacher finement tous les ingrédients pour la sauce. Versez ensuite sur les pommes de terre et poursuivez la recette.

À faire à l'avance

Ce plat peut être préparé une journée à l'avance. Mélangez les ingrédients liquides et versez-les sur les tranches de pommes de terre et d'oignon. Couvrez et réfrigérez pendant un maximum de 24 heures. Faites cuire tel qu'il est indiqué.

	Cocotte de la mijoteuse légèrement graissée	
6	pommes de terre, pelées et tranchées	6
1	oignon moyen, tranché	1
50 ml	feuilles de céleri	1/4 de tasse
15 ml	persil séché	1 c. à soupe
25 ml	beurre ou margarine, fondu	2 c. à soupe
50 ml	farine	1/4 de tasse
5 ml	sel	1 c. à thé
2 ml	poivre noir	1/2 c. à thé
385 ml	lait concentré	13 oz
250 ml	cheddar, râpé	1 tasse
2 ml	paprika	1/2 c. à thé

1. Faire alterner les tranches de pommes de terre et d'oignon dans la cocotte graissée de la mijoteuse.
2. Dans un mélangeur ou au robot culinaire, mélanger les feuilles de céleri, le persil, le beurre, la farine, le sel, le poivre, le lait concentré et le cheddar. Mélanger le tout pendant 1 minute ou jusqu'à ce que le mélange soit lisse. Verser sur les pommes de terre et l'oignon; saupoudrer de paprika.
3. Mettre le couvercle et faire cuire à basse température de 6 à 8 heures ou à haute température de 3 à 4 heures, jusqu'à ce que les pommes de terre soient tendres et bien chaudes.

Carottes braisées au miel et à l'orange

4 PORTIONS

Ce plat accompagne merveilleusement bien la dinde ou le bœuf. Épargnez du temps et utilisez des mini-carottes entières et pelées.

Trucs

- Vous pouvez doubler la quantité de carottes de cette recette, mais n'augmentez que de moitié les ingrédients de la sauce, étant donné qu'il y a très peu d'évaporation pendant la cuisson.

- Pour obtenir le plus de jus possible d'une orange, roulez-la sur le comptoir de la cuisine en appuyant dessus avec la paume de la main, ou faites-la chauffer au micro-ondes à intensité maximale pendant 20 secondes avant d'en extraire le jus. Une orange devrait donner environ 125 ml (1/2 tasse) de jus.

500 g	mini-carottes, pelées	1 lb
125 ml	jus d'orange, fraîchement pressé	1/2 tasse
25 ml	miel liquide	2 c. à soupe
15 ml	beurre ou margarine, fondu	1 c. à soupe
5 ml	gingembre moulu	1 c. à thé
2 ml	zeste d'orange	1/2 c. à thé
15 ml	persil frais, haché	1 c. à soupe
	Sel et poivre, au goût	

1. Déposer les carottes dans la mijoteuse. Dans une tasse graduée de 500 ml (2 tasses), mélanger le jus d'orange, le miel, le beurre, le gingembre et le zeste d'orange. Verser sur les carottes.

2. Mettre le couvercle et faire cuire, en remuant une fois, à basse température de 6 à 8 heures ou à haute température de 3 à 4 heures, jusqu'à ce que les carottes soient bien glacées. Servir saupoudrées de persil, et saler et poivrer au goût.

« Soufflé » à la purée de pommes de terre

6 PORTIONS

Bien qu'il ne s'agisse pas d'un vrai soufflé, ce plat est semblable en fait de légèreté et accompagne très bien une dinde ou du bœuf rôti. De plus, étant donné qu'il cuit dans la mijoteuse, il libère le four pour garder au chaud tous les autres plats d'accompagnement.

Truc

- La légèreté de votre purée de pommes de terre dépend du type de pommes de terre que vous utilisez. Évitez les pommes de terre nouvelles qui ne font pas de très bonnes purées, compte tenu de leur faible teneur en amidon.

	Cocotte de la mijoteuse légèrement graissée	
10 à 12	pommes de terre, brossées, pelées et coupées en morceaux	10 à 12
75 ml	beurre	1/3 de tasse
250 g	fromage à la crème léger, ramolli	1/2 lb
250 ml	crème sure (crème aigre) régulière ou légère	1 tasse
2	œufs, jaunes et blancs séparés	2
5 ml	sel	1 c. à thé
2 ml	poivre noir	1/2 c. à thé
50 ml	chapelure fine	1/4 de tasse

1. Dans une grande casserole d'eau salée bouillante, faire cuire les pommes de terre pendant 20 minutes ou jusqu'à ce qu'elles cèdent sous les dents d'une fourchette. Bien égoutter et remettre dans la casserole. Ajouter 60 ml (1/4 de tasse) de beurre, le fromage à la crème, la crème sure, les jaunes d'œufs, le sel et le poivre.
2. Piler les pommes de terre à l'aide d'un pilon ou avec un malaxeur électrique à faible intensité jusqu'à l'obtention d'une texture lisse (n'utilisez pas un robot culinaire, sinon les pommes de terre se transformeront en colle). Dans un autre bol, battre les blancs d'œufs jusqu'à ce qu'ils soient fermes, mais pas secs. Incorporer en pliant au mélange de pommes de terre. Mettre à la cuiller dans la mijoteuse.
3. Dans un petit bol, bien mélanger le reste du beurre et la chapelure ; en parsemer la purée (le mélange peut être préparé jusqu'à cette étape-ci et réfrigéré pendant 24 heures).
4. Mettre le couvercle et faire cuire à haute température de 3 à 4 heures ou jusqu'à ce que le plat soit gonflé et légèrement doré sur le dessus. Servir immédiatement.

Riz sauvage aux noix de pécan et aux champignons

Trucs

- Les noix au beurre, les oignons et les champignons amalgamés au riz sauvage font de ce plat le noble compagnon d'une côte de bœuf, d'un poulet rôti ou d'un saumon cuit au four.
- Pour ajouter de la couleur, incorporez un poivron rouge haché 15 à 20 minutes avant de servir.
- Le riz sauvage n'est pas vraiment sauvage, mais plutôt un type de graminé qui pousse partout en Amérique du Nord. Les Amérindiens l'ont présenté aux premiers négociants en fourrures et, depuis, c'est une denrée précieuse. Lorsque vous préparez le riz sauvage, veillez à bien le rincer et rappelez-vous qu'en cuisant, il quadruple de volume. Ajoutez le sel après la cuisson pour que le grain puisse prendre toute son expansion et pour rehausser son goût de noisette.

25 ml	beurre ou margarine	2 c. à soupe
1	oignon, haché finement	1
250 g	champignons, tranchés	1/2 lb
125 ml	noix de pécan ou amandes, hachées	1/2 tasse
250 ml	riz sauvage	1 tasse
500 ml	bouillon de poulet	2 tasses

1. Dans un grand poêlon, faire fondre le beurre à feu moyen-élevé. Ajouter l'oignon, les champignons et les noix de pécan; faire revenir 7 à 8 minutes, ou jusqu'à ce que les légumes soient tendres et que les noix de pécan dégagent leur arôme. Ajouter le riz et faire cuire 3 minutes de plus. Mettre le mélange dans la mijoteuse et y verser le bouillon.

2. Mettre le couvercle et faire cuire à basse température de 6 à 8 heures ou à haute température de 2 à 3 heures, jusqu'à ce que presque tout le liquide ait été absorbé. Remuer les grains à l'aide d'une fourchette.

Casserole aux épinards et au fromage

4 À 6 PORTIONS

Cette casserole accompagne merveilleusement bien les viandes grillées. C'est une alternative intéressante aux pommes de terre.

Trucs

- Choisissez toujours des épinards dont les feuilles sont croquantes, d'un beau vert et dont l'arôme est léger et frais (s'ils sentent le chou, ils sont trop vieux). Rincez-les bien avant d'en retirer les tiges et utilisez-les dans des recettes ou en salade.
- Pour épargner du temps, vous pouvez remplacer les épinards frais de cette recette par 900 g (2 lb) d'épinards surgelés, décongelés et bien débarrassés de leur eau.
- Les épinards peuvent être rincés, séchés et déchiquetés, ensuite emballés librement dans du papier absorbant et réfrigérés dans des sacs de plastique scellés jusqu'à 2 jours.

	Cocotte de la mijoteuse légèrement graissée	
1 kg	feuilles d'épinards frais rincés, tiges rigides retirées	2 lb
250 ml	fromage cottage (fromage blanc) léger ou régulier	1 tasse
50 ml	crème sure (crème aigre) légère	1/4 de tasse
3	œufs, légèrement battus	3
25 ml	farine	2 c. à soupe
2 ml	muscade moulue	1/2 c. à thé
2 ml	sel	1/2 c. à thé
285 ml	châtaignes d'eau, égouttées et hachées finement	10 oz

1. Faire cuire les épinards dans une grande marmite d'eau bouillante salée, à feu élevé, en remuant jusqu'à ce qu'ils soient flétris. Verser les épinards dans une passoire pour les égoutter. Presser les épinards avec les mains pour en éliminer l'eau. Emballer dans un torchon propre et sec pour en retirer l'excès d'eau. Une fois les épinards tiédis, les hacher grossièrement.
2. Dans un bol, bien mélanger le fromage cottage, la crème sure, les œufs, la farine, la muscade et le sel. Incorporer les épinards hachés et les châtaignes d'eau. Mettre le mélange dans la mijoteuse.
3. Mettre le couvercle et faire cuire à basse température de 4 à 6 heures ou à haute température de 2 à 3 heures, jusqu'à ce que la casserole ait pris.

Flan à la patate douce

6 PORTIONS

Ce plat est le compagnon idéal de la dinde, du jambon ou du rôti de porc.

Variante
Flan à la carotte : remplacez les patates douces par 1,5 litre (6 tasses) de carottes pelées et hachées.

	Cocotte de la mijoteuse légèrement graissée	
1,25 litre	patates douces, pelées et hachés	5 tasses
10 ml	jus de citron	2 c. à thé
25 ml	beurre, ramolli	2 c. à soupe
50 ml	cassonade, tassée	1/4 de tasse
5 ml	sel	1 c. à thé
2 ml	paprika	1/2 c. à thé
1	œuf	1
50 ml	crème sure (crème aigre) régulière ou légère	1/4 de tasse

1. Dans une casserole d'eau bouillante, faire cuire les patates douces de 15 à 20 minutes, ou jusqu'à ce qu'elles soient tendres. Égoutter et mettre dans un mélangeur ou un robot culinaire. Réduire en purée ou piler les patates douces jusqu'à ce qu'elles soient lisses. Ajouter le jus de citron.
2. Dans un bol, battre ensemble le beurre, la cassonade, le sel, le paprika, l'œuf et la crème sure. Incorporer la purée de patates douces et mettre dans la mijoteuse.
3. Mettre le couvercle et faire cuire à basse température de 4 à 6 heures ou à haute température de 2 à 3 heures, jusqu'à ce que le flan ait pris et que son pourtour soit légèrement doré.

Navets braisés au cidre

4 À 6 PORTIONS

1 kg/1 litre	navets ou rutabagas pelés, coupés en dés	2 lb/4 tasses
500 ml	cidre	2 tasses
25 ml	beurre ou margarine	2 c. à soupe
25 ml	cassonade	2 c. à soupe
1 ml	muscade moulue	1/4 de c. à thé
	Sel et poivre au goût	

Trucs

- Pour un goût encore plus sucré, ajoutez 25 ml (2 c. à soupe) de cassonade de plus aux navets et au cidre avant de faire cuire.

- Les navets sont souvent confondus pour des rutabagas. Bien que le rutabaga soit un membre de la famille des navets, il est plus gros, de chair jaune et légèrement plus sucré que le navet. Dans cette recette (et d'autres), les deux peuvent être interchangés et conservés tout l'hiver dans une chambre froide. Rappelez-vous d'enlever leur pelure cireuse avant de les faire cuire.

À préparer à l'avance

Les navets peuvent être cuits dans le cidre à l'avance, réduits en purée, ensuite réfrigérés jusqu'au moment d'être utilisés. Il suffit de faire réchauffer la purée dans la mijoteuse à basse température de 2 à 3 heures ou jusqu'à ce qu'elle soit bien chaude.

1. Dans la mijoteuse, mettre le navet et le cidre. Mettre le couvercle et faire cuire à basse température de 8 à 10 heures ou à haute température de 4 à 6 heures, jusqu'à ce que le navet soit tendre et que presque tout le cidre soit évaporé.

2. Dans un bol, à l'aide d'un pilon ou d'un robot culinaire, piler ou réduire en purée le navet. Ajouter le beurre, la cassonade et la muscade ; bien mélanger. Saler et poivrer au goût. S'ils ne sont pas servis immédiatement, les couvrir et les garder au chaud à basse température jusqu'au moment de servir.

Couscous de légumes à la marocaine

4 À 6 PORTIONS

Trucs

- Pour une variante à la viande, incorporez 500 ml (2 tasses) de poulet cuit haché lorsque vous ajoutez le persil. Laissez cuire 15 à 20 minutes de plus ou jusqu'à ce que le plat soit bien chaud.
- Le couscous est connu également sous le nom de semoule, le cœur moulu du blé dur. Pour le préparer, il suffit de mélanger 250 ml (1 tasse) de couscous, 300 ml (1 1/4 tasse) d'eau bouillante, 15 ml (1 c. à soupe) de beurre et 1 ml (1/4 de c. à thé) de sel. Mettez le couvercle et laissez reposer pendant 5 minutes, et ensuite gonflez-le à l'aide d'une fourchette.

Le soir précédent

Cette recette peut être préparée le soir précédent. Suivez les directives de préparation et réfrigérez la cocotte et son contenu toute la nuit. Le lendemain, placez la cocotte dans la coque et faites cuire tel qu'il est indiqué.

2	carottes, tranchées	2
1	courge musquée moyenne, pelée et coupée en dés de 2,5 cm (1 po)	1
1	oignon moyen, haché	1
550 ml	pois chiches en conserve, rincés et égouttés	19 oz
550 ml	tomates en conserve, coupées en dés, avec leur jus	19 oz
250 ml	bouillon de légumes ou poulet	1 tasse
125 ml	pruneaux dénoyautés, hachés	1/2 tasse
5 ml	cannelle	1 c. à thé
2 ml	flocons de piment rouge	1/2 c. à thé
25 ml	persil frais (ou coriandre), haché	2 c. à soupe
	Sel et poivre au goût	
	Couscous chaud (voir *Trucs* à gauche)	

1. Mettre dans la mijoteuse les carottes, la courge, l'oignon, les pois chiches, les tomates (et leur jus), le bouillon, les pruneaux, la cannelle et les flocons de piment rouge ; bien mélanger.
2. Mettre le couvercle et laisser cuire à basse température de 6 à 8 heures ou à haute température de 3 à 4 heures, jusqu'à ce que les légumes soient tendres.
3. Avant de servir, incorporer le persil au ragoût, et saler et poivrer au goût. Servir chaud sur un lit de couscous cuit et chaud.

Ratatouille maison

6 À 8 PORTIONS

Voici ma version du plat méditerranéen classique. Elle peut être servie comme plat principal accompagnée d'une belle salade verte croquante ou comme plat d'accompagnement à du saumon ou du poulet. Peu importe comment vous la servez, cette ratatouille est exquise!

Truc

- Les aubergines, si elles ne sont pas saupoudrées de sel avant d'être utilisées, développent un goût amer dans la mijoteuse. Disposez l'aubergine en dés dans une passoire, saupoudrez les surfaces coupées de sel; couvrez-les d'une assiette sur laquelle vous mettrez une conserve lourde. Laissez l'aubergine dégorger pendant 1 heure; rincez-la bien ensuite à l'eau froide et asséchez-la avec du papier absorbant. Les petites aubergines n'ont pas besoin d'être salées autant que les plus grosses étant donné leur teneur en eau moins élevée.

3	petites aubergines, coupées en dés de 2,5 cm (1 po)	3
5 ml	sel	1 c. à thé
45 ml	huile d'olive	3 c. à soupe
15 ml	beurre ou margarine	1 c. soupe
1	gros oignon, tranché mince et séparé en rondelles	1
800 ml	tomates à l'italienne aux fines herbes et aux épices en conserve, hachées, avec leur jus	28 oz
25 ml	parmesan, râpé	2 c. à soupe
50 ml	chapelure fine	1/4 de tasse
5 ml	assaisonnement italien	1 c. à thé
250 ml	mozzarella, râpée	1 tasse

1. Saupoudrer de sel les cubes d'aubergine et les mettre dans une passoire. Laisser reposer pendant 1 heure ou jusqu'à ce que les cubes aient dégorgé. Bien rincer sous l'eau froide courante pour enlever toute trace de sel et égoutter. Éliminer tout excès d'eau et assécher avec du papier absorbant. Réserver.

2. Dans un grand poêlon à revêtement antiadhésif, faire chauffer 15 ml (1 c. à soupe) d'huile et le beurre sur feu moyen. Ajouter l'oignon et les champignons; faire revenir pendant 10 minutes ou jusqu'à ce qu'ils soient ramollis. Retirer à l'aide d'une cuiller à égoutter, mettre dans une assiette et réserver.

3. Remettre le poêlon sur le feu et ajouter les 25 ml (2 c. à soupe) d'huile

⟨⟨ Le soir précédent

Cette recette peut être préparée jusqu'à 12 heures à l'avance. Suivez les directives de préparation et réfrigérez la cocotte et son contenu toute la nuit. Le lendemain, placez la cocotte dans la coque et faites cuire tel qu'il est indiqué.

d'olive qui restent. Par petites quantités à la fois, faire dorer les cubes d'aubergine à feu moyen pendant 10 minutes.

4. Mettre la moitié des aubergines dans le fond de la cocotte. Ajouter le mélange d'oignon et la moitié des tomates (avec leur jus). Saupoudrer de parmesan, ajouter le reste des aubergines et des tomates hachées.

5. Dans un bol, mélanger la chapelure, l'assaisonnement italien et la mozzarella ; bien mélanger et déposer à la cuiller sur les tomates et l'aubergine. Mettre le couvercle et faire cuire à basse température de 8 à 10 heures ou à haute température de 4 à 6 heures, jusqu'à ce que la ratatouille bouillonne.

Desserts

221

Pouding vapeur aux amandes et à la poire

6 À 8 PORTIONS

Ce délicieux pouding cuit à la vapeur réunit mes deux ingrédients préférés : la poire et la noix de coco grillée.

	Bol de 1,5 litre (6 tasses) ou moule à pouding, graissé	
50 ml	beurre, ramolli	1/4 de tasse
45 ml	pâte d'amandes (ou massepain), ramollie	3 c. à soupe
175 ml	sucre	3/4 de tasse
250 ml	farine à pâtisserie	1 tasse
5 ml	levure chimique	1 c. à thé
125 ml	noix de coco, filamentée et grillée	1/2 tasse
2	œufs	2
2 ml	essence d'amande	1/2 c. à thé
125 ml	purée de poires, en conserve ou fraîche (voir *Trucs* ci-contre)	1/2 tasse
1	blanc d'œuf	1

SAUCE NOIX DE COCO ET LIME

175 ml	sucre	3/4 de tasse
25 ml	fécule de maïs	2 c. à soupe
250 ml	eau	1 tasse
50 ml	jus de lime	1/4 de tasse
125 ml	noix de coco, filamentée et grillée	1/2 tasse
5 ml	zeste de lime, râpé	1 c. à thé

1. Dans un grand bol, battre ensemble le beurre, la pâte d'amandes et 125 ml (1/2 tasse) de sucre jusqu'à l'obtention d'une crème légère et mousseuse.

Trucs

- Si vous aimez les sauces légères et onctueuses, n'ajoutez pas la noix de coco. Pour ma part, j'aime bien la texture qu'elle donne.
- Pour la purée, utilisez des poires en conserve ou deux poires fraîches très mûres, ou encore un petit pot de purée de poires pour bébés, dont la quantité convient parfaitement à la recette.
- Il vous faudra une grande mijoteuse (5 à 6 1/2 litres) afin que votre plat à soufflé ou votre bol puisse y être déposé et en être retiré aisément. Veillez à utiliser de longs gants de cuisine lorsque vous soulevez le pouding de la mijoteuse afin d'éviter que la vapeur ne vous brûle les bras.
- Pour griller la noix de coco : étalez sur une tôle à biscuits et faites cuire au four à 180 ºC (350 ºF), en remuant une ou deux fois pendant 7 à 8 minutes, ou jusqu'à ce qu'elle soit bien dorée. Sortez du four et laissez refroidir complètement.

2. Dans un autre bol, tamiser la farine et la levure chimique. Incorporer la noix de coco en brassant. Ajouter les œufs, l'essence d'amande et les poires, en mélangeant jusqu'à l'obtention d'une texture lisse. Ajouter graduellement en remuant le mélange de pâte d'amandes.

3. Dans un petit bol, battre le blanc d'œuf jusqu'à ce qu'il soit mousseux ; ajouter le reste du sucre et battre jusqu'à la formation de pics mous. Plier le blanc d'œuf dans la pâte et verser celle-ci dans le bol graissé. Mettre le couvercle sur le moule à pouding, ou le couvrir de papier d'aluminium et faire tenir en place avec une bande élastique. Déposer dans la mijoteuse et ajouter de l'eau bouillante jusqu'à mi-hauteur des parois extérieures du moule. Couvrir la mijoteuse et faire cuire le pouding à la vapeur à haute température de 4 à 5 heures (ne pas faire cuire plus longtemps à basse température). Retirer le moule de la mijoteuse et laisser tiédir. Le pourtour du pouding sera humide.

4. Pour démouler le pouding, faire glisser la lame d'un couteau entre le rebord du pouding et le moule. Renverser sur une assiette de service et soulever délicatement le moule. Laisser refroidir à la température de la pièce.

5. Sauce noix de coco et lime : dans une casserole à feu moyen-élevé, mélanger le sucre et la fécule de maïs. Incorporer l'eau et le jus de lime en fouettant. Faire cuire, en remuant continuellement, jusqu'à ce que la sauce atteigne le point d'ébullition. Réduire le feu et laisser mijoter en remuant constamment, jusqu'à ce qu'elle soit épaissie. Incorporer en brassant la noix de coco et le zeste de lime. Napper le pouding de cette sauce.

Croustade aux pommes traditionnelle

6 PORTIONS

Ce merveilleux dessert me rappelle la recette traditionnelle que ma tante cuisinait. Assurez-vous de la servir avec de la crème fouettée tiède, de la crème glacée à la vanille ou la Crème chantilly (voir recette, page 226).

Truc

- Pour ramollir rapidement le beurre, retirez-le de son emballage d'aluminium et placez-le dans un plat allant au micro-ondes. Pour chaque 125 ml (1/2 tasse) de beurre, réglez le four micro-ondes au mode de décongélation pendant 45 secondes à 1 minute.

6	grosses pommes à cuisson, pelées et tranchées	6
25 ml	sucre	2 c. à soupe
5 ml	cannelle	1 c. à thé

GARNITURE

125 ml	beurre, ramolli	1/2 tasse
250 ml	cassonade, légèrement tassée	1 tasse
175 ml	farine	3/4 de tasse

1. Dans un grand bol, mélanger les pommes, le sucre et la cannelle. Verser dans la mijoteuse.
2. Dans un autre bol, battre ensemble le beurre et la cassonade. Ajouter la farine et mélanger à l'aide d'une cuiller jusqu'à ce que le mélange soit grumeleux. Saupoudrer sur les pommes et presser fermement pour former une croûte.
3. Mettre le couvercle et faire cuire à haute température de 3 à 4 heures, ou jusqu'à ce que les pommes soient tendres et que la sauce bouillonne.

Photos: Gâteau éponge au citron, p. 225
Gâteau-pouding à la rhubarbe et aux bleuets (myrtilles), p. 236

Gâteau éponge au citron

(Voir photo, p. 224)

4 PORTIONS

Trucs

- Bien que ce dessert soit exquis consommé tel quel, il est également délicieux lorsqu'on le garnit d'un mélange de framboises, fraises et bleuets (myrtilles) frais.
- Il vous faudra une grande mijoteuse (5 à 6 ¹/2 litres) afin que votre plat à soufflé ou votre bol puisse y être déposé et en être retiré aisément. Veillez à utiliser de longs gants de cuisine lorsque vous soulevez le gâteau de la mijoteuse afin d'éviter que la vapeur ne vous brûle les bras.
- Pour obtenir le maximum de jus d'un citron, laissez-le à la température de la pièce et roulez-le sur le comptoir de cuisine à l'aide de la paume de la main, en appuyant fort sur le citron, avant de le couper et d'en extraire le jus.
- Pour obtenir le zeste d'un citron : servez-vous du rebord fin d'une râpe à fromage en veillant à ne pas racler la peau blanche sous-jacente. Sinon, utilisez un zesteur et hachez finement le zeste obtenu. Les zesteurs sont peu coûteux et vendus dans les cuisineries.

	Bol de 1,5 litre (6 tasses) ou plat à soufflé, graissé	
250 ml	sucre	1 tasse
50 ml	farine	1/4 de tasse
1 ml	sel	1/4 de c. à thé
50 ml	jus de citron	1/4 de tasse
15 ml	zeste de citron, râpé	1 c. à soupe
3	œufs, les jaunes séparés des blancs	3
15 ml	beurre, fondu	1 c. à soupe
250 ml	lait	1 tasse
15 ml	sucre glace	1 c. à soupe

1. Dans un bol, mélanger le sucre, la farine et le sel. Incorporer en brassant le jus et le zeste de citron, les jaunes d'œufs, le beurre et le lait.

2. Dans un autre bol, battre les blancs d'œufs jusqu'à formation de pics fermes ; plier dans le mélange au citron. Verser dans le bol graissé et couvrir d'une feuille d'aluminium tenue en place par une bande élastique. Déposer le bol dans la mijoteuse et verser suffisamment d'eau pour qu'elle couvre de 2,5 cm (1 po) le fond de la cocotte.

3. Mettre le couvercle et faire cuire à haute température de 2 à 3 heures, ou jusqu'à ce que la garniture soit prise et légère. Saupoudrer le sucre glace sur le gâteau avant de servir.

Pouding au pain du bayou avec sauce au rhum et crème chantilly

6 À 8 PORTIONS

*J'ai été inspirée à cuisiner
cette recette après avoir lu,
pour mon club de lecture, un
livre dont l'histoire se déroulait
en plein cœur d'un bayou
typique.*

Truc

- Pour faire les cubes de pain : coupez le pain en tranches de 1 cm (1/2 po) et ensuite chacune en 4 morceaux. Si vous avez le temps, coupez le pain en cubes le soir précédent et laissez-les sécher. Or, si le temps vous manque, vous pouvez accélérer le processus en mettant les cubes dans un pour préchauffé à 100 °C (200 °F), en les tournant une fois, après 20 à 30 minutes, ou jusqu'à ce qu'ils soient secs.

75 ml	beurre ou margarine, fondu	1/3 de tasse
4 litres	cubes de pain français vieux d'un jour, légèrement tassés (voir *Truc* ci-contre)	16 tasses
250 ml	raisins secs dorés	1 tasse
3	œufs	3
375 ml	sucre	1 1/2 tasse
25 ml	vanille	2 c. à soupe
5 ml	muscade moulue	1 c. à thé
5 ml	cannelle	1 c. à thé
750 ml	lait	3 tasses

SAUCE AU RHUM

125 ml	cassonade, tassée	1/2 tasse
25 ml	farine	2 c. à soupe
1 ml	sel	1/4 de c. à thé
250 ml	eau	1 tasse
2 ml	vanille	1/2 c. à thé
25 ml	rhum foncé ou ambré	2 c. à soupe

CRÈME CHANTILLY

250 ml	crème à fouetter (crème riche)	1 tasse
45 ml	sucre glace	3 c. à soupe
25 ml	crème sure (crème aigre) légère ou régulière	2 c. à soupe
5 ml	vanille	1 c. à thé

1. Badigeonner de 25 ml (2 c. à soupe) de beurre fondu le fond et les parois latérales de la cocotte de la mijoteuse. Y mettre en alternance les cubes de pain et les raisins secs.

2. Dans un grand bol, battre ensemble les œufs et le sucre jusqu'à ce que le mélange soit épaissi et de couleur jaune citron. Ajouter la vanille, la muscade, la cannelle, le lait et le reste du beurre ; battre ensemble pendant 1 minute de plus. Verser le mélange uniformément sur le pain, en appuyant dessus pour bien le saturer. Mettre le couvercle et faire cuire à basse température de 6 à 7 heures ou à haute température de 3 à 4 heures, jusqu'à ce qu'il soit doré et légèrement gonflé. Laisser le pouding tiédir légèrement avant de servir.

3. Sauce au rhum : dans une casserole à feu moyen-élevé, mélanger la cassonade, la farine et le sel (ceci éliminera le risque de grumeaux). Incorporer, en brassant, l'eau et la vanille. Porter le mélange à ébullition ; réduire le feu et laisser mijoter en brassant continuellement jusqu'à ce que le mélange ait épaissi. Incorporer le rhum en remuant.

4. Crème chantilly : dans un bol, mélanger la crème à fouetter, le sucre glace, la crème sure et la vanille. Battre jusqu'à la formation de pics mous (ne pas trop battre). Couvrir hermétiquement et réfrigérer jusqu'au moment de servir.

5. Pour servir, verser de la sauce au rhum tiède dans le fond d'un plat de service. À la cuiller, déposer le pouding chaud sur celle-ci et garnir d'une bonne cuillerée de crème chantilly.

Pouding aux carottes avec sauce au citron

4 PORTIONS

Ce pouding, délicieux et satisfaisant, est tout aussi spectaculaire à regarder lorsqu'on l'arrose de brandy et qu'on le flambe. J'aime beaucoup ce pouding nappé de la sauce citronnée présentée ici, mais une sauce plus riche au caramel écossais ferait aussi bien l'affaire.

POUDING AUX CAROTTES

	Bol de 1,5 litre (6 tasses) ou moule à pouding, beurré	
300 ml	carottes, râpées	1 1/4 tasse
250 ml	chapelure fine	1 tasse
250 ml	cassonade	1 tasse
125 ml	dattes, hachées	1/2 tasse
125 ml	cerises confites, hachées	1/2 tasse
125 ml	noix de Grenoble ou de pécan, hachées	1/2 tasse
125 ml	raisins secs sans pépins	1/2 tasse
125 ml	raisins secs dorés ou de Corinthe	1/2 tasse
125 ml	graisse végétale, ramollie	1/2 tasse
50 ml	beurre, ramolli	1/4 de tasse
3	œufs, légèrement battus	3
50 ml	marmelade à l'orange	1/4 de tasse
25 ml	mélasse	2 c. à soupe
25 ml	xérès sec ou jus de raisin blanc	2 c. à soupe
250 ml	farine	1 tasse
5 ml	levure chimique	1 c. à thé
2 ml	bicarbonate de soude	1/2 c. à thé
5 ml	sel	1 c. à thé
5 ml	cannelle	1 c. à thé
2 ml	muscade moulue	1/2 c. à thé
2 ml	piment de la Jamaïque moulu	1/2 c. à thé
1 ml	clou de girofle moulu	1/4 de c. à thé

Trucs

- Il vous faudra une grande mijoteuse (5 à 6 ¹/2 litres) afin que votre plat à soufflé ou votre bol puisse y être déposé et en être retiré aisément. Veillez à utiliser de longs gants de cuisine lorsque vous soulevez le pouding de la mijoteuse afin d'éviter que la vapeur ne vous brûle les bras.
- Si vous ne disposez pas d'un moule à pouding, un bol à mélanger à l'épreuve de la chaleur convient très bien. Au lieu d'un couvercle, utilisez du papier d'aluminium tenu en place par une bande élastique.
- Pour obtenir le zeste d'un citron ou d'une orange, utilisez un zesteur peu coûteux vendu dans les cuisineries. Sinon, vous pouvez utiliser les trous les plus petits d'une râpe à fromage.

SAUCE AU CITRON

125 ml	sucre	¹/2 tasse
15 ml	fécule de maïs	1 c. à soupe
250 ml	eau bouillante	1 tasse
25 ml	beurre	2 c. à soupe
2 ml	zeste de citron, râpé	¹/2 c. à thé
25 ml	jus de citron	2 c. à soupe

1. Dans un bol, bien mélanger les carottes, la chapelure, la cassonade, les dattes, les cerises, les noix de Grenoble, les raisins secs sans pépins et dorés. Réserver. Dans un autre bol, battre en crème la graisse végétale et le beurre jusqu'à l'obtention d'une crème légère et mousseuse. Ajouter les œufs, un à la fois, en battant bien après chaque addition. Ajouter la marmelade, la mélasse et le xérès ; bien mélanger. Tamiser la farine, la levure chimique, le bicarbonate de soude, le sel, la cannelle, la muscade, le piment de la Jamaïque et le clou ; incorporer dans le mélange de graisse végétale en battant pour obtenir une pâte. Incorporer les fruits en mélangeant juste assez.

2. Verser la pâte dans le bol graissé ; mettre le couvercle sur le moule à pouding ou couvrir le bol de papier d'aluminium tenu en place par une bande élastique. Déposer dans la mijoteuse et verser suffisamment d'eau bouillante pour en couvrir 2,5 cm (1 po) du fond.

3. Mettre le couvercle de la mijoteuse et faire cuire à la vapeur à haute température de 4 ¹/2 à 5 heures (ne pas faire cuire à basse température plus longtemps) ou jusqu'à ce qu'un cure-dent inséré dans le centre du pouding en ressorte propre. Retirer le bol de la mijoteuse et laisser reposer 5 minutes.

4. Pour démouler, glisser la lame d'un couteau entre le pourtour du pouding et la paroi du moule. Renverser le moule sur une assiette de présentation et le soulever délicatement. Réserver pour laisser tiédir.

5. Sauce au citron : dans une casserole, mélanger le sucre et la fécule à feu doux. Incorporer l'eau bouillante en fouettant. Faire cuire jusqu'à ce que le sirop soit clair, en brassant fréquemment. Retirer du feu et incorporer en remuant le beurre, le zeste et le jus de citron. Servir tiède sur le pouding.

Pêches au caramel

4 À 6 PORTIONS

Ce dessert facile à faire jumelle des pêches fraîches juteuses et une sauce sucrée au caramel écossais. Il est idéal à préparer en un clin d'œil lorsque des invités arrivent à l'improviste.

6	**pêches, pelées et tranchées**	6
	OU	
1,2 litre	**pêches en conserve en moitiés, égouttées et tranchées**	42 oz
10 ml	**jus de citron**	2 c. à thé
250 ml	**cassonade, tassée**	1 tasse
45 ml	**beurre ou margarine, fondu**	3 c. à soupe
50 ml	**crème à fouetter (crème riche)**	1/4 de tasse
2 ml	**cannelle**	1/2 c. à thé
	Crème glacée à la vanille (facultatif)	

Trucs

- Servez ces pêches sur de la crème glacée à la vanille ou telles quelles. Vous pouvez remplacer les pêches par des pommes.
- Pour faire mûrir rapidement des pêches fraîches, mettez-les dans un sac de papier et gardez-les à température de la pièce une nuit entière.
- Pour peler les pêches, plongez-les dans de l'eau bouillante pendant 30 secondes pour libérer la pelure puis plongez-les rapidement dans de l'eau froide. La pelure devrait s'enlever aisément.

1. Dans un bol, mélanger les tranches de pêches et le jus de citron.
2. Dans la mijoteuse, bien mélanger la cassonade, le beurre, la crème et la cannelle. Ajouter les tranches de pêches et remuer pour bien les enrober du mélange à la cassonade.
3. Mettre le couvercle et faire cuire à basse température de 4 à 6 heures. Servir sur de la crème glacée à la vanille si l'on désire.

Croustade aux canneberges (airelles) et aux pommes

8 PORTIONS

Prenez une grosse cuiller et installez-vous bien confortablement pour mieux déguster ce dessert classique et réconfortant, légèrement acidulé. Dans cette recette, les canneberges font équipe avec les pommes sucrées sous une garniture moelleuse et légère semblable à du gâteau.

Trucs

- Servez cette croustade tiède accompagnée de crème glacée ou avec un filet de crème pâtissière maison ou du commerce.
- Achetez 2 ou 3 sacs de canneberges supplémentaires lorsqu'elles sont en saison et gardez-les au congélateur pour les avoir à portée de main au besoin. Il n'est pas nécessaire de les décongeler avant de les utiliser.

350 g	canneberges (airelles), fraîches ou surgelées	12 oz
175 ml	sucre	3/4 de tasse
45 ml	fécule de maïs	3 c. à soupe
2 ml	cannelle	1/2 c. à thé
250 ml	jus de canneberge (airelle)	1 tasse
2 litres	pommes, pelées et tranchées (environ 6)	8 tasses

GARNITURE

375 ml	farine	1 1/2 tasse
75 ml	sucre	1/3 de tasse
15 ml	levure chimique	1 c. à soupe
1 ml	sel	1/4 de c. à thé
125 ml	beurre froid, en dés	1/2 tasse
150 ml	lait	2/3 de tasse
5 ml	sucre	1 c. à thé
1 ml	cannelle	1/4 de c. à thé

1. Mettre les canneberges au fond de la mijoteuse. Ajouter le sucre, la fécule de maïs et la cannelle, et bien mélanger. Ajouter le jus de canneberge et les pommes ; remuer le tout pour bien enrober. Mettre le couvercle et faire cuire à basse température de 6 à 8 heures ou à haute température de 3 à 4 heures.

2. Dans un bol, mélanger la farine, le sucre, la levure chimique et le sel. À l'aide d'un coupe-pâte ou de deux couteaux, couper le beurre dans le mélange de farine jusqu'à la formation de gros grumeaux. Verser un

filet de lait sur le mélange et remuer avec une fourchette jusqu'à la formation d'une pâte épaisse.

3. Déposer la pâte à la cuiller sur le mélange de fruit. Mettre le couvercle et faire cuire à haute température de 30 à 45 minutes, ou jusqu'à ce qu'un cure-dent inséré au centre de la pâte en ressorte propre. Dans un bol, mélanger le sucre et la cannelle ; saupoudrer sur la croustade et servir.

Crème caramel au miel et à l'orange

6 PORTIONS

Cette gâterie vous rappellera le dessert riche que vous servent les grands restaurants. La cuisson lente assure un flan lisse et crémeux sans surcuisson.

Trucs

- Il vous faudra une grande mijoteuse (5 à 6 ¹/2 litres) afin que votre plat à soufflé ou votre bol puisse y être déposé et en être retiré aisément. Veillez à utiliser de longs gants de cuisine lorsque vous soulevez le flan de la mijoteuse afin d'éviter que la vapeur ne vous brûle les bras.
- Les recettes de flans conviennent bien à la mijoteuse lorsque ceux-ci sont cuits dans des moules à soufflé déposés dans la cocotte de la mijoteuse. Cuits directement dans la cocotte, les œufs du flan auront tendance à cailler pendant le long processus de cuisson.

Plat à soufflé de 1,6 litre (6 ¹/2 tasses)		
250 ml	sucre	1 tasse
125 ml	eau	¹/2 tasse

FLAN AU MIEL ET À L'ORANGE		
385 ml	lait concentré	13 oz
50 ml	lait partiellement écrémé	¹/4 de tasse
	Zeste d'une orange	
3	œufs, légèrement battus	3
50 ml	miel	¹/4 de tasse
15 ml	Grand Marnier ou jus d'orange	1 c. à table

1. Dans une casserole à feu moyen, mélanger le sucre et l'eau. En remuant continuellement avec une cuiller de bois, faire cuire le contenu jusqu'à ce que le sucre soit dissous et que le mélange atteigne le point d'ébullition. Cesser de remuer et continuer la cuisson pendant 4 minutes ou jusqu'à ce que le sirop soit doré. Verser dans le moule à soufflé en inclinant le moule pour distribuer le sirop uniformément partout dans le fond et sur les parois. Réserver. (Le mélange sucre et eau peut également être cuit au micro-ondes ; couvrir d'une pellicule plastique un bol contenant le sucre et l'eau, mais laisser une petite ouverture pour permettre à la vapeur de s'échapper. Faire cuire à haute température de 8 à 10 minutes ou jusqu'à ce que le sirop soit bien doré.)

Trucs

- Pour garder un plat de cuisson surélevé du fond de la mijoteuse, vous pouvez utiliser une petite grille. J'aime bien la marguerite — elle est aussi très pratique pour retirer le bol de la mijoteuse. Placez la marguerite au fond de la cocotte de la mijoteuse et ouvrez-la autant que possible. Déposez le moule ou le bol sur la marguerite et versez 2,5 cm (1 po) d'eau dans la cocotte. Faites cuire à la vapeur tel qu'il est indiqué.

À faire à l'avance

Ce dessert est meilleur lorsqu'il est préparé à l'avance afin qu'il puisse être réfrigéré avant d'être servi. Préparez-le tôt le matin ou même une journée entière à l'avance.

2. Dans une casserole à feu moyen-doux, mélanger le lait concentré, le lait et le zeste d'orange. Faire chauffer doucement le mélange jusqu'à ce qu'il commence à mijoter. Retirer du feu et laisser reposer 10 minutes. À l'aide d'une fourchette, retirer le zeste de la casserole et le jeter.

3. Dans un bol, mélanger les œufs, le miel et le Grand Marnier. Y ajouter graduellement, en fouettant, le lait tiède. Verser dans un moule à soufflé graissé. Couvrir de papier d'aluminium tenu en place par une bande élastique. Déposer le moule à soufflé dans la mijoteuse et y verser environ 500 ml (2 tasses) d'eau chaude.

4. Mettre le couvercle et faire cuire à la vapeur de 2 à 2 1/2 heures à haute température ou jusqu'à ce que la lame d'un couteau insérée dans le flan en ressorte propre. Retirer le moule à soufflé de la mijoteuse et réfrigérer de 3 à 4 heures ou toute la nuit.

5. Pour démouler, faire glisser la lame d'un couteau entre le pourtour du flan et le moule. Faire tremper le fond du moule dans de l'eau chaude pendant quelque temps et renverser sur une assiette de service en donnant une secousse ferme pour démouler le flan et la sauce.

Gâteau-pouding à la rhubarbe et aux bleuets (myrtilles)

(Voir photo, p. 224)

6 À 8 PORTIONS

La compote de bleuets (myrtilles) et de rhubarbe avec une garniture croquante cuite à la vapeur est un excellent dessert à l'ancienne. J'aime réaliser cette recette avec la rhubarbe de mon jardin. Je la congèle et en décongèle la quantité dont j'ai besoin pour des recettes spéciales comme celle-ci.

Truc

- Si vous ne trouvez pas de rhubarbe ni de bleuets frais, utilisez-en des surgelés. Il n'est pas nécessaire de les décongeler avant de les utiliser.

	Cocotte de la mijoteuse légèrement graissée	
250 ml	rhubarbe fraîche ou surgelée, hachée	1 tasse
500 ml	bleuets (myrtilles) frais ou surgelés	2 tasses
50 ml	beurre	1/4 de tasse
300 ml	sucre	1 1/4 de tasse
75 ml	farine	3/4 de tasse
5 ml	levure chimique	1 c. à thé
1 ml	cannelle	1/2 c. à thé
1 ml	muscade moulue	1/4 de c. à thé
Pincée	sel	Pincée
125 ml	lait	1/2 tasse
15 ml	fécule de maïs	1 c. à soupe
5 ml	zeste d'orange, râpé	1 c. à thé
125 ml	jus d'orange	1/2 tasse
	Crème fouettée (facultatif)	

1. Mettre la rhubarbe et les bleuets dans la mijoteuse graissée.
2. Dans un bol, battre en crème le beurre et 175 ml (3/4 de tasse) de sucre. Dans un autre bol, mélanger la farine, la levure chimique, la cannelle, la muscade et le sel. Ajouter au mélange de beurre en alternance avec le lait. Étendre sur les fruits dans la mijoteuse.

3. Dans une petite casserole, mélanger la fécule de maïs et le zeste d'orange. Incorporer en remuant le jus d'orange. Porter à ébullition à feu moyen-élevé ; faire cuire en remuant continuellement, jusqu'à épaississement partiel. Retirer du feu et verser sur la pâte dans la mijoteuse.

4. Mettre le couvercle et faire cuire à haute température de 2 à 3 heures ou jusqu'à ce que le dessus soit doré et que les fruits bouillonnent. Servir légèrement chaud avec une bonne cuillerée de crème fouettée, si désiré.

Pouding vapeur aux canneberges (airelles), sauce au Grand Marnier

6 PORTIONS

Ce pouding agrémenté de canneberges peut être savouré à n'importe quel moment de l'année... et de la journée!

Trucs

- Il vous faudra une grande mijoteuse (5 à 6 1/2 litres) afin que votre plat à soufflé ou votre bol puisse y être déposé et en être retiré aisément. Veillez à utiliser de longs gants de cuisine lorsque vous soulevez le pouding de la mijoteuse afin d'éviter que la vapeur ne vous brûle les bras.
- Si vous avez un vieux bol à pouding avec un couvercle, il sera parfait pour cette recette. Mais un bol à mélanger lourd de 1,5 litre (6 tasses) fera aussi bien l'affaire.

	Moule ou bol à mélanger de 1,5 litre (6 tasses), légèrement graissé	
250 ml	canneberges (airelles) fraîches ou surgelées (non décongelées), hachées	1 tasse
180 ml	sucre	3/4 de tasse
125 ml	beurre, ramolli	1/2 tasse
2	œufs	2
375 ml	farine	1 1/2 tasse
7 ml	levure chimique	1 1/2 c. à thé
Pincée	sel	Pincée
25 ml	lait	2 c. à soupe
15 ml	zeste d'orange, râpé	1 c. à soupe

SAUCE AU GRAND MARNIER

125 ml	cassonade, tassée	1/2 tasse
25 ml	fécule de maïs	2 c. à soupe
1 ml	sel	1/4 de c. à thé
375 ml	eau	1 1/2 tasse
25 ml	beurre	2 c. à soupe
45 ml	Grand Marnier ou autre liqueur à l'orange ou concentré de jus d'orange	3 c. à soupe

1. Dans un bol, mélanger les canneberges et 60 ml (^{1}/4 de tasse) de sucre. Réserver.

2. Dans un bol, à l'aide d'un malaxeur électrique, battre en crème le beurre. Ajouter les 120 ml (^{1}/2 tasse) de sucre qui restent et battre jusqu'à l'obtention d'une crème légère et mousseuse. Ajouter les œufs, un à la fois, en battant bien chaque fois.

3. Dans un autre bol, tamiser la farine, la levure chimique et le sel. Ajouter le beurre au mélange, petit à petit, en alternance avec le lait (le mélange sera très épais). Incorporer en remuant le zeste d'orange. Déposer à la cuiller la pâte dans le moule à pouding ou un bol lourd. Mettre le couvercle ou couvrir d'une feuille d'aluminium tenue en place par une bande élastique. Déposer dans la mijoteuse et verser suffisamment d'eau bouillante pour en couvrir 2,5 cm (1 po) du fond.

4. Faire cuire à haute température de 4 ^{1}/2 à 5 heures, ou jusqu'à ce qu'un cure-dent inséré dans le centre du pouding en ressorte propre (le pourtour du pouding aura l'air légèrement moite). Retirer de la mijoteuse et laisser tiédir 10 minutes. Renverser sur une assiette de service.

5. Sauce au Grand Marnier : dans une casserole, mélanger la cassonade, la fécule de maïs et le sel. Ajouter l'eau en remuant et porter le mélange à ébullition à feu moyen-élevé. Réduire le feu à moyen et faire cuire en fouettant continuellement pendant 3 minutes ou jusqu'à épaississement. Incorporer le beurre et le Grand Marnier en remuant, ajoutant plus de liqueur si désiré. Napper le pouding de la sauce ou servir le pouding tel quel et faire circuler autour de la table la sauce versée dans une saucière.

Pouding brownie au fudge renversé

4 À 6 PORTIONS

Dans cette recette merveilleusement riche, la pâte au fudge monte au-dessus d'une délicieuse sauce au chocolat.

Trucs

- Ce dessert est exceptionnel accompagné de crème glacée à la vanille. Si vous avez des restes de pouding, réfrigérez-les et consommez-les froid le lendemain. Le pouding est aussi bon froid que chaud.
- Pour graisser la cocotte de la mijoteuse, utilisez de l'huile végétale en aérosol ou encore de la graisse à moule à gâteau spéciale vendue dans les magasins spécialisés dans les pâtisseries ou de produits en vrac.

	Cocotte de la mijoteuse bien graissée	
250 ml	farine	1 tasse
10 ml	levure chimique	2 c. à thé
175 ml	sucre	3/4 de tasse
45 ml	cacao	3 c. à soupe
125 ml	lait	1/2 tasse
25 ml	beurre, fondu	2 c. à soupe
5 ml	vanille	1 c. à thé
50 ml	noix de Grenoble, hachées (facultatif)	1/4 de tasse
175 ml	cassonade, tassée	3/4 de tasse
25 ml	cacao	2 c. à soupe
500 ml	eau bouillante	2 tasses
	Crème glacée à la vanille	

1. Dans un bol, bien mélanger la farine, la levure chimique, le sucre et les 45 ml (3 c. à soupe) de cacao.
2. Dans un autre bol, mélanger le lait, le beurre et la vanille. Incorporer en remuant dans le mélange de farine et ajouter les noix. La pâte sera très épaisse. Étaler uniformément dans la cocotte de la mijoteuse graissée.
3. Dans un bol, mélanger la cassonade et les 25 ml (2 c. à soupe) de cacao. Ajouter l'eau bouillante en mélangeant bien. Verser sur la pâte dans la mijoteuse.
4. Mettre le couvercle et faire cuire à haute température pendant 2 heures ou jusqu'à ce qu'un cure-dent inséré au centre du pouding en ressorte propre. Mettre à la cuiller dans des bols individuels et servir accompagné de crème glacée à la vanille.

Pouding au riz bien arrosé

4 À 6 PORTIONS

Voici un dessert vraiment réconfortant — riche, satisfaisant et tellement crémeux.

Truc
- Si vous utilisez du rhum, veillez à ce qu'il soit brun. Le rhum blanc donnerait un goût métallique au pouding.

À préparer à l'avance
Ce dessert est meilleur lorsqu'il est fait une journée d'avance. Les saveurs ont ainsi le temps de se développer et de se mêler.

	Cocotte de la mijoteuse bien graissée	
385 ml	lait concentré	13 oz
25 ml	cassonade	2 c. à soupe
45 ml	beurre, fondu	3 c. à soupe
5 ml	vanille	1 c. à thé
1	œuf, légèrement battu	1
5 ml	jus de citron	1 c. à thé
125 ml	canneberges (airelles) ou cerises séchées	1/2 tasse
500 ml	riz cuit	2 tasses
1 ml	cannelle	1/4 de c. à thé
	Grand Marnier, Amaretto ou rhum brun	
	Crème fouettée	

1. Dans un bol, bien mélanger le lait, la cassonade, le beurre, la vanille, l'œuf, le jus de citron et les canneberges.
2. Mettre le riz dans la cocotte de la mijoteuse graissée. Y verser le mélange au lait et saupoudrer de la cannelle.
3. Mettre le couvercle et faire cuire à haute température pendant 2 heures (ne pas faire cuire plus longtemps à basse température) ou jusqu'à ce que le dessus soit pris et qu'un cure-dent inséré dans le centre en ressorte propre. Mettre à la cuiller dans des bols individuels, et verser un filet de Grand Marnier et garnir d'une bonne cuiller de crème fouettée.

Index